TOKYOインフルエンサーアカデミー主宰
中島侑子

インスタで夢を叶えた50人のやり方を1冊にまとめました。

This is how 50 women changed their lives with Instagram

KADOKAWA

叶えたい夢をはっきりさせて

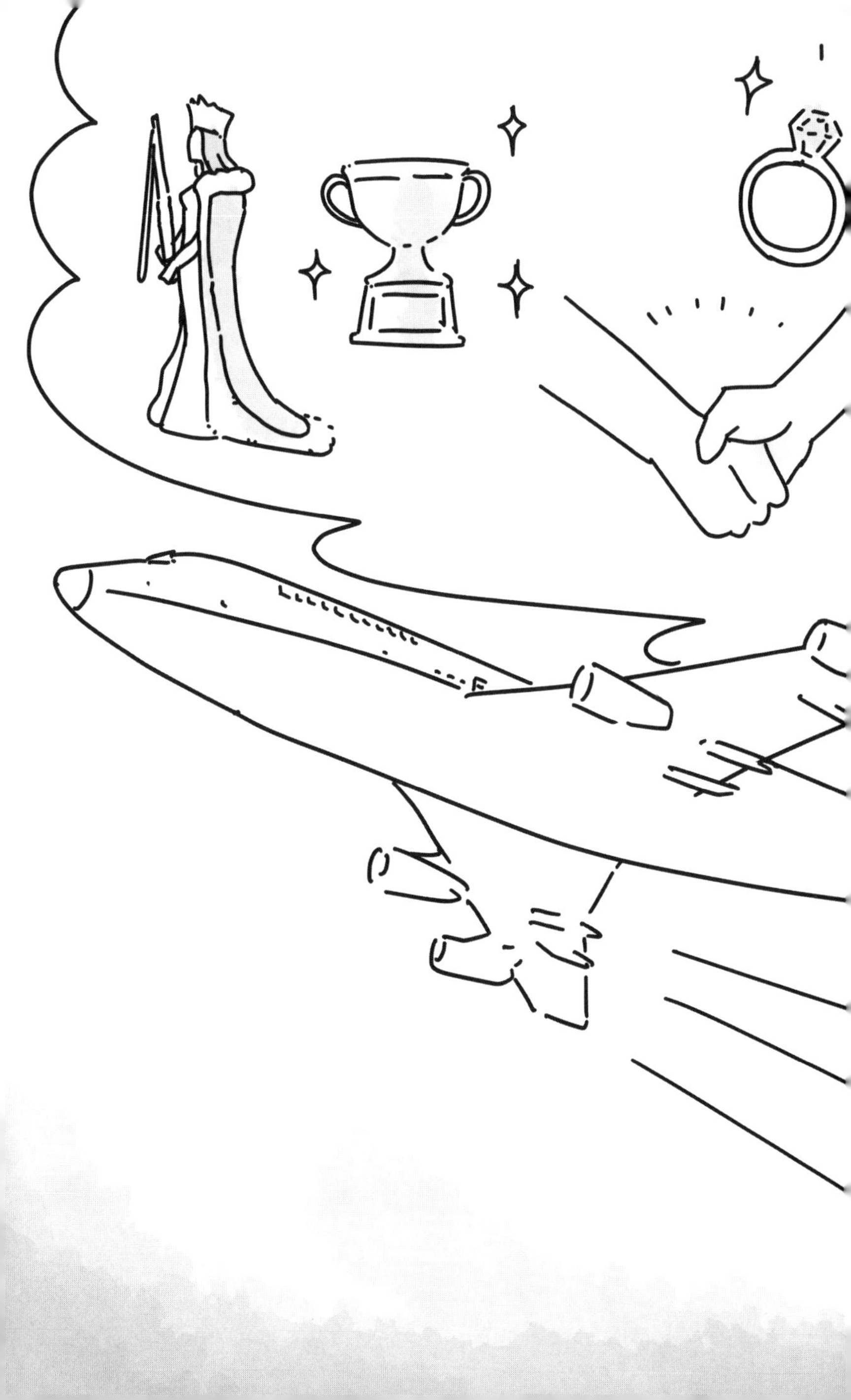

ノウハウを知って行動する
発信・テーマの
考え方
ブランディングの
つけ方
表現力・世界観の
作り方
継続する方法

リサーチ
（分析、対策）の
やり方
インスタ機能の
使いこなし方
welcome
PR を依頼される
伝え方
集客に繋げる方法

すると、常識が変わる
当たり前が変わる
仲間が変わる

すると、自分が変わる

はじめに

「何かやってみたい。でも何をしたらいいかわからない……」

「このままの人生で本当にいいのかなと、時々不安になる……」

「誰かのSNSを見て心がざわざわする……」

「好きなときに、好きな場所で、好きな仕事ができる自由が欲しい……」


あなたはこんなふうに思ったことはありませんか？

もしそうなら、この本はあなたに出会うために書いたのかもしれません。


5年前の私は、まさに自由になりたいともがきながら、

「私がやりたいことってなんだろう？」

PROLOGUE

はじめに

「どんな夢を叶えたいんだろう？」
と模索する日々でした。

そんな私が今は、卒業生の総合フォロワー数285万人、日本最大級のインフルエンサーの学校「TOKYOインフルエンサーアカデミー」を主宰しています。また、「インフルエンサー学会」の会長をつとめ、「インスタグラムの講師」としてテレビでアナウンサーや芸能人のコンサルティングを担当し、外務省からご依頼をいただき、海外向けインスタグラム講座を開催しています。

プライベートでは2歳、6歳の子どもを長野県で育てながら、日本全国、世界を子連れ旅しながら講演会や地方創生をしたり、シングルマザーや障害児保育施設の支援をしています。

今の私は本当に好きなことをやりたいときにやれる、誰かに貢献できるだけの影響力を持つ、そんな自由を手に入れたと実感しています。

最初からそうだったかというと、全然そういうわけではありませんでした。

最初は私も、自分が本当にやりたいことが何なのかわからず、キラキラ輝く他の人のSNSを見てモヤモヤしたりしていたこともありました。

実際、8ヶ月間、毎日ブログを書いてはいたのですが全然仕事に繋がらず、自己肯定感が地に落ちて2ヶ月間発信できなくなった時期もありました。


でも、私はインスタグラムに出会って180度人生が変わったんです。

「こんなことまで叶うの？」と想像もしなかった夢が次々と叶っていきました。


私がインスタを始めたのは2017年のこと。「インスタって……何？」「ハッシュタグって半角？　全角？」からスタート。

でも、大好きな旅行の景色などを投稿するのが楽しくて、毎日トライ＆エラーを続けていくうちに、3ヶ月でフォロワー数1万人を突破しました。

すると雑誌の読者モデルになったり、航空会社のアンバサダーに抜擢（ばってき）されたり、海外クルーズのスイートルームに娘と招待されたり、ビジネスクラスでスイス周遊に招かれたり……。毎月のように国内・海外の旅行に仕事で行けるようになりました。

PROLOGUE
はじめに

20歳の頃からやりたいと思っていた地方創生や講演会の依頼も全国からいただけるようになり、ミセス・アジアインターナショナル2018日本代表に選ばれ世界大会に出場したり、メディア出演や出版依頼も届くようになりました。

それまでもブログやフェイスブック、公式LINE、メールマガジンなど、色んな発信について人に教えられるレベルまで使いこなしていましたが、インスタの結果が出るスピード感と叶う夢の幅広さには衝撃を受けました。


そんな、発信を楽しみながら次々と夢を叶えていく私の様子を見て、

「楽しそう！　何やってるの？」

「なんか最近すごいね」

「スイートルームで子連れクルーズ旅行？　無料で!?」

と周りが騒ぎ出し、「やり方を教えて！」と、友人たちに乞われるままノウハウを伝えるようになりました。

すると全員、数日以内に効果が表れ、喜びの報告が相次ぎました。


フォロワー数が急増した！

集客に繫がった！

商品が売れた！


一番驚いたのは私です。

「私のトライ&エラーは、みんなの役に立つんだ」と。

あっという間に私の生徒数は数百人になりました。


ところが、です。急成長したみんなの変化が頭打ちになってきました。

「おかしいな？」と思い、みんなのインスタをよくよく見たら、私が伝えたことを続けてくれている人がほとんどいませんでした。


「ノウハウを伝えるだけではダメなんだ。行動し続ける環境を整えないと！」

そう思った私は、ノウハウに加え「行動」と「継続」をサポートする4ヶ月間の少数精鋭「TOKYOインフルエンサーアカデミー」を立ち上げました。


アカデミーには誰でも入れるというわけではなく、審査制にしています。

PROLOGUE

はじめに

現在の入学倍率は、7・5倍。

入学当初は「1000フォロワーが夢です！」と言っていた人が、卒業生の多くが1万フォロワー超えというアカデミーの環境にいるだけで「1万フォロワーって特別じゃないんだ！　私も目指せるかも」と、いとも簡単に「常識」が書き換わるんです。

アカデミーを立ち上げて以来4年間で、273人のインフルエンサーが生まれました。全員のフォロワー数を集めると約285万人という、日本の草分けにして最強・最大級のインフルエンサー集団となり、私は「インスタの女王」と言われるようになりました。

私が嬉しいのは、アカデミー生ほぼ全員が「ここはインスタだけの学校じゃない！　人生を変える学校だ！」と言ってくれることです。

私自身のトライ&エラー、4年間273人のインスタ運用をサポートして得た圧倒的な知見とノウハウ、そして私が得意な、夢から逆算するセルフブランディング、救急医として何百人もの方々と接して培ったコーチング。これらを同時に行っていきます。いわゆる〝SNSマーケティング〟だけには留まりません。

自分の夢を明確にして、発信を通して自分と向き合い、心底楽しく発信できるようになる。だから、夢が叶い、人生まで変わるのです。

ここまで読んでみて、もしかしたら「自分には関係ない世界」だと感じている方もいるかもしれません。

そこで本書では「普通の人」から「インフルエンサー」になったアカデミー生50人に登場してもらい、フォロワー数をどうやって伸ばし、影響力を高め、インスタと自己実現をリンクさせたのか。試行錯誤やターニングポイント、現実と心の変化などを包み隠さず公開してもらいました。

この本の1章では、なぜインスタで夢が叶うのかについて解説しています。

そして2章では、アカデミー生50人がいかにしてインスタで夢を叶えたのか、その体験談を掲載しています。そして3章では、夢が叶うとはどのようなものなのかについて、解説しています。

50人の体験談は、得られる知見ごとに8つのテーマに分けました。

1　発信・テーマの考え方
2　ブランディングのつけ方
3　表現力・世界観の作り方
4　継続する方法
5　リサーチ（分析、対策）のやり方
6　インスタ機能の使いこなし方
7　PRを依頼される伝え方
8　集客に繋げる方法

8つのテーマ（44～45ページで詳述しているのでご参照ください）を巡りながら、50人のインフルエンサーたちが何に悩み、どのような工夫をし、どんな成功を手にしたのかを知ることができます。

- 「自信がない。何を発信したらいいかわからない」と言っていた専業主婦が、毎月のように家族と一緒に旅行に招待され、「ママありがとう」と感謝されたり。
- 借金2000万円の人生どん底状態から、インスタを通して多くのファンができて年商6000万円の社長になったり。
- 顔出しを避けたい会社員ママが、1・5ヶ月で1万フォロワーを達成して脱サラして起業し、初月から月商200万円を達成したり。
- 「毎日家と公園の往復で、投稿する写真がない」と言っていたママが、鉄道会社のアンバサダーになったり。
- 夫の顔色をうかがっていた専業主婦が、有名女性誌の読者モデルになり、ミセスコンテストでグランプリをとって人生を変えたり。

50人のバックグラウンドや夢の叶え方、発信ノウハウは実にバラエティ豊かです。

すでにインスタや発信に慣れている人はもちろん、スマホ操作もよくわからない、そもそも夢や本当にやりたいことがわからない人にとっても「これならできそう」「私もこうしたい」というヒントの宝庫です。

PROLOGUE

はじめに

インスタグラマーとかインフルエンサーと聞くと、「遠い世界の人」「キラキラして自分には無理」「なんだか怖い」なんて苦手意識のある人もいるかもしれません。

でも、本書でそのイメージは一変するでしょう。


私も含めて、ここに登場する全員が〝ただの一般人〟です。特別な能力もセンスも実績もないところから恐る恐る発信を始めました。

そこからどうやって「発信力」「影響力」というパワーを手にし、精神的・金銭的な自由を得て、夢を叶えたのか。

インフルエンサーになるまでの裏側を全部お見せします。

あなたもぜひこの本に書いてあることを実践して、夢を叶えてみてくださいね。

この本の感想は「#インスタで夢を叶えた50人」「#ユメカナ51」でぜひお聞かせください。

中島侑子

目次

はじめに 010

CHAPTER 1
なぜインスタで夢が叶うのか？ 029

望む未来を可視化する 030
インスタが唯一無二な理由 034
「あなた」という雑誌の編集長になる 036
インスタで夢を叶える人の共通点 038
1 自己開示 039

2　気持ちやエネルギーを発信に乗せる　040
3　素直に愚直に圧倒的な行動量　040
4　リサーチ＆数字を使って戦略的に　041
モデルケースを見つけることから　041

CHAPTER 2

インスタで夢を叶えた50人

インスタで夢を叶えた50人　043
インスタで夢が叶うための8つのテーマ　044
1　発信・テーマの考え方　046
01　子育て中の専業主婦から鉄道アンバサダーへ　まなちゃん　046

CONTENTS

02 ただの会社員からフォロワー700人で旅アンバサダーに　みさみさ　050
03 閉鎖寸前のロースイーツ教室を復活！　70歳で月商300万円に　富田あけみ　054
04 助産師の経験を活かし妊婦インスタグラマーとして多数のPR案件を獲得　さちよ　058
05 当時はまだ少なかったスイーツ男子路線でパイオニアに　大村太一　062
06 テーマを絞ったことでターゲット層に届き年商2000万円の経営者に　佐藤まどか　066
07 憧れの人を応援していたらその本人と繋がり　さらに人脈が拡大中　白土楊子　070
08 専業主婦から子連れ旅インフルエンサー&地域活性化のリーダーに　そのみ　074

2 ブランディングのつけ方

078
09 具体的な数字とわかりやすいプロフィールでフォロワーが一気に爆増　平岡妙子　078
10 キャッチーなネーミングでフォロワーが毎日100人ずつ増加　池田美応　082
11 ハンドメイドの世界では異例の顔出しで収入30倍に　千森麻由　086
12 「イメージコンサルタント」を「美印象の専門家」に置き換え　わかりやすいプロフィールに　あべりか　090

CONTENTS

13 顔出しなしでわずか2ヶ月でフォロワー1万人達成 かいママ 094

3 表現力・世界観の作り方 098

14 プロのカメラマンの写真や仲間のアカウントを見ながら写真の撮り方を工夫 峯村真貴 098

15 普通の景色を「特別」にする写真で日常を輝かせる SOLA 102

16 服の色を変えて未来を見せるブランディングに 井上美和 106

17 ダンス、ライフスタイル、PRなどをバランスよく投稿 寺本睦美 110

18 6ヶ月分180枚の写真を事前に用意しデザインと世界観を構築 ズッキー／藤田和樹 114

19 一目惚れされる世界観作りにファンが殺到 松本あゆこ 118

20 そのときの目的に合わせて投稿内容を変え自分を表現していく 武田るな 122

21 めくる投稿は情報誌のようにお役立ち情報をお渡ししリールでは楽しませることを意識 こうだまみ 126

22 発信する内容はありのままの私が3〜4割ちょっとした憧れが6〜7割 大澤淳 130

23 いいねの数やフォロワー数を気にする心を捨てると本当に届けたい人に届く　プラズマヒーラー桜子　134
24 反応が得られる投稿には「共感」という2文字が欠かせない　上本ミナ　138
25 苦手だった話すこととコンプレックスだった自分の声を、この機会に克服しようと決意!!　蠣崎 希　142
26 5万フォロワー超え！　130万回再生を超えるリール動画が大人気　張 麗華　146

4 継続する方法　150

27 必ず夕食後に30分「インスタタイム」を作り家族を味方に　山賀絵里奈　150
28 毎日投稿を6ヶ月間継続しフォロ活なしで1万フォロワー達成！　船津未帆　154
29 隙間時間を無駄にせず、行動！やるべきことをリスト化、数値化、かかる時間も意識　かずえ　158

5 リサーチ（分析、対策）のやり方　162

30 最新のインスタ情報を追い、トライ&エラーを繰り返す　増田薫里　162

CONTENTS

31 消し去りたい過去は誰かの勇気になる　新居ゆう子　166

32 うまくいっている人のやり方を徹底的に真似する　八木下美保　170

33 自分の強みは発信しながらインサイトで見つける　中釜えり　174

34 本来の顧客向けの投稿に変えてから、自分のスクールの申込率が上がった　湯山卓　178

35 仮説を立てて、実行する　ノートに書いて可視化する　今湊英乃　182

|6| インスタ機能の使いこなし方　186

36 暇さえあればすぐストーリーズで発信コミュニケーションツールに　渡邉奈津紀　186

37 月曜日から土曜日まで毎日ライブ配信を続けた結果フォロワー2万人に　悦喜桂子　190

38 発見欄やハッシュタグでトップに載り続けるために考察　神田ゆか　194

39 ターゲット層以外のフォローをやめエンゲージメントを高める　根津美穂　198

|7| PRを依頼される伝え方　202

40 得たいPRのゴールを設定し先方が依頼したくなる写真と投稿内容を意識　向井奈緒　202

41 フィードバックを活かし継続することで自分が欲しい案件が手に入るように　なつき　206

8 集客に繋げる方法　210

42 ターゲットを絞ったプロフィールでどんな情報を発信する人なのかを明確に　冨永彩心　210
43 1日3時間のブログ更新をやめ1日10分のインスタ発信で年商が3倍に！　内野舞　214
44 最初にコンセプトを固めればフォロワー数が少なくても集客は可能　宮崎まり　218
45 自分のメイクレッスンは即満席芸能人の方から依頼をいただく機会が増えた　梅澤仁美　222
46 上司にかけあい自社のミールキットの販促にインスタを利用　山王麻美　226
47 フォロワーが増えるとともに来訪者と入社希望者が増加メディア出演や講演依頼も　佐藤久美　230
48 講座を受けていただいた先の未来が想像しやすいような投稿を意識　上原さやか　234

CONTENTS

49 コアファンが離れづらい仕組みを作った結果、1年先まで予約が取れない人気のセッションに　トレイシィ　238

50 「世界に届けるなら前髪は分けて」この言葉がブレイクスルーとなり年商8桁を4年連続達成　皆里しおり　242

CHAPTER 3 夢が叶うってどういうこと？　247

最初の夢は通過点だった!?　248

インスタをすると、例外なく綺麗になる　251

失敗は勲章。挑戦した証　252

本文デザイン・DTP　荒木香樹
校　正　あかえんぴつ
編集協力　深谷恵美、坂野りんこ
巻頭イラスト　坂野りんこ
スペシャルサンクス　TOKYOインフルエンサーアカデミー
編　集　清水静子（KADOKAWA）

※本書に書かれている数字（フォロワー数や金額など）や情報、インスタグラムのIDは、2023年1月現在のものです。

CHAPTER 1

なぜインスタで夢が叶うのか？

望む未来を可視化する

「インスタで叶えたい夢はなんですか?」

「TOKYOインフルエンサーアカデミー」の1回目の講座で、必ず私が受講生にする質問です。

実は、すぐに明確に答えられる人はそう多くありません。

理由は2つ。

ひとつめの理由は、「インスタで何が叶うのか知らないから」です。

もし私たちが「宇宙」があることを知らなかったら、「宇宙飛行士になりたい」という夢を描く人はいませんよね。

それと同じで、「インスタで夢を叶える」ためには、まずは「インスタで何が叶うのか?」を知る必要があるんです。

だからこそ、第2章では「インスタで夢を叶えた50人」の実例を知ってもらい、「夢」と「ノウハウ」を手に入れていただきます。

ふたつめの理由は「自分を知らないから」です。

どういうことが好きなの？

何をしたいの？

本当の望みは？

私にとっての幸せって何？

「自分」を知らぬままに、他人の幸せを追い求めてしまう……そんなケースを私はたくさん見てきました。というか、私もそうでした。

月の半分以上、子どもたちを夫に預け、全国を出張し、高級ホテルに泊まって楽しそうにしている友人を見て心底「羨ましい」と思っていました。

数年前は彼女のSNSを見て、よくモヤモヤしていました。

でも、胸に手を当てて考えてみると、私は子育てをしたいし、月の半分以上を出張して子どもたちと離れたいとは思っていなかったんです。

では、何が羨ましかったのか？

それは、自分のやりたいことを素直に夫に伝えられて、その上、応援されている……そんなパートナーシップだったのです。

私はよく自由奔放に見られるのですが、実は、旅行に行くのも仕事で出張するのも、夫になかなか言い出せないでいました。

「これを言ったら夫は何て言うかな……」と顔色をうかがいながら、言い出すタイミングを逃し、直前になって「明後日から旅行に行こうと思うんだけど」「えっ!? (驚愕)」のようなやりとりを繰り返していました。

「そうか、私が羨ましかったのは、子どもがいる中で月の半分を出張するライフスタイルでも、高級ホテルを渡り歩くことでもなく、なんでも言い合えるパートナーシップだったんだ!」とわかったとき、とてもスッキリして、自分の本当の望みを知ることができました。

それは、「発信」のおかげなんです。

発信するということは、多かれ少なかれ自分と向き合うことになります。

これをなぜ私は投稿したいのか? 誰に伝えたいのか? を考える。投稿した写真や文章を客観的な目で眺める。

そういった繰り返しの中に「私の好みってこうなんだ」「こんなこと考えていたんだな」といった発見がたくさんあるんです。

発信するたびに「心のフタ」を開けているようなものです。

おかげで自分自身のことをよりよく知ることができました。

「大人になってから、こんなに自分と向き合う時間を取ったのは初めてです」とよくアカデミー生に言われますが、インスタで発信することは、まるで鏡のように自分をよく見せてくれます。


つまり「インスタで何が叶うか知ること」「自分を知ること」を通して、あなたの叶えたい夢が明確になっていくのです。

インスタが唯一無二な理由

ここまで読んで「だったら、他のSNS発信でもいいんじゃない?」と思われたかもしれませんね。はい、そうです。私もインスタの前にはブログに力を入れていて、おかげで夢に近づけたり、自分と向き合うことができました。

インスタを教えている講座の主宰者としてあるまじき言葉かもしれませんが、正直インスタでなくてもいいと思います。その人それぞれに最適な発信媒体があります。

ただ、最初に書いたように、結果が出るスピードと広がる可能性の幅広さはインスタが圧倒的です。

結果とは「発信力」と「影響力」を得ること、そして夢の実現です。

発信力は、フォロワー数がひとつの目安になります。「フォロワー数1万人」

が一般的なバロメーターですが、私自身は3ヶ月で達することができました。アカデミー生も講座4ヶ月の期間中に続々と達成しています。

影響力とは、ファンになってもらうこと、と言い換えられるでしょう。「〇〇さんと繋がりたい」「〇〇さんの発信だから心に刺さる」と思ってもらうこと。

発信力、影響力がつくと、あなた自身が応援されるのはもちろん、誰かがピンチのときに力を貸せるようになります。

「友人がやっているレストランが倒産寸前、なんとか助けになりたい！」とか。
「住んでいる地域活性化のために貢献したい！」とか。
「誰かを応援したい！」と思ったときに、応援できるだけの力を持てる。
自分が発信することで、誰かのためになる。
私がインスタを始めてよかったなと思っていることのひとつです。

では、なぜインスタは結果が出るスピード、つまり「発信力」と「影響力」がつくスピードが速いのでしょうか？

「あなた」という雑誌の編集長になる

インスタでは自分の好きな世界観をビジュアルや文章で表現できます。さながら自分自身の雑誌を創刊し、編集していくような感覚です。

自分自身のメディアを持つ、ということは「広告媒体」を持つということ。TV、雑誌などのマスメディアは広告によって収益を得ていることはご存じですよね？　同じことが個人でもできるのです。

多くの人が憧れる「PR案件」とは、いわば「個人広告」です。企業から「あなたのアカウントで広告してください」と商品をプレゼントされたり、旅行やレストランに無料招待されたり、さらに報酬をいただけることもあります。今や、旅行、食、コスメ、ファッション、インテリア、生活グッズなど、ありとあらゆる市場にPR案件があります。

そして、PR案件に関しては他のSNSよりもインスタが有利です。

初めて間もなくても、フォロワー数が少なくても、PR案件が来たという受講生が多数います。実際、私もインスタアカウント立ち上げ初日、フォロワー数346人の時点で3つのPR案件をいただきました。

私は旅行が大好きで「いつか仕事で旅行に行きたい」と思っていたのですが、インスタのおかげで航空会社からお仕事をいただけたり、子連れでクルーズ旅行に招待されたり、ビジネスクラスでスイス周遊に招待されたり、多数の夢が叶いました。また、「地方創生に貢献したい」という想いも叶い、今は全国の地方自治体からオファーをいただいています。

講座やセミナーをされている方はもちろん、レストランやホテル、エステや美容院などの店舗ビジネスの方々も、自分のインスタアカウントを伸ばすことができれば、「インスタ＝自分のメディアに無料で広告を出す」なので、有力な広告ツールとなり、集客や営業・販売に役立ちます。

インスタで夢を叶える人の共通点

「人生を変えたい！」私は今までの人生で、何度もそのターニングポイントに立ちました。高校1年生のときに母がくも膜下出血で倒れ、反抗期真っ只中だった私は「母をもっと大切にすればよかった」と心底後悔しました。そして泣くことしかできない自分の無力さが悔しくて、医者になることを決意しました。

救急救命医になってから、数えきれないほど、命が消えていく瞬間に立ち会いました。「つい1時間前まで元気だったのに……」と、命は有限であることを嫌というほど思い知らされました。

だから、限りあるこの命で、私は自分にできることを全てやりたい！

私は自分の可能性に、絶対に自分で蓋をしない。

自分だけは自分を信じて、夢が叶うまで諦めない！

そう決意したんです。

「あなたが虚しく生きた今日は、昨日死んでいった者があれほど生きたいと願った明日」。私はくじけそうになると、よくこの言葉を思い出します。

私たちが今生きているのは奇跡。

生きてさえいれば、どんな夢だって思い描けます。

遠慮せず、やりたいことを全て叶えていきましょう。

ということで、インスタで夢を叶えた50人に私を含めた51人を分析して見つけ出した、4つの成功要因をご紹介します。

どれかひとつが飛び抜けている人、複数の要素が絡んでいる人など様々で、全員がすべてを備えているわけではありません。ですが、まず4つを意識しながら2章を読んでみてください。結果のスピードが急加速するはずです。

1 自己開示

「インスタ映え」なんて言葉もあるように、発信＝演出と思われるかもしれませんが、逆です。自分の人生を夢の世界に寄せていく部分はありますが、かっこつけすぎたり、無理があると投稿は続きません。楽しく結果を出している人ほど、インスタで自分をオープンにしています。90ページや166ページの経験談が参考になると思いますし、これについては3章でも触れたいと思います。

2 気持ちやエネルギーを発信に乗せる

「なんか気になる」「つい見ちゃう」という投稿、ありませんか？　それは、本人のエネルギーが投稿に乗っているから。素直な思いや感情、ワクワクや感動をそのまま投稿にぶつけると、たとえ写真が多少粗かったり文章が整っていなくても、それに勝る何かが伝わります。50人の日々の投稿の中にもたくさんあります。「作り込まなくていい」「形式ばらなくていい」という意識で投稿してみてください。

3 素直に愚直に圧倒的な行動量

少なくとも1ヶ月間、どんなことでもいいので「毎日発信」を頑張ってみませんか？　ドイツの哲学者ヘーゲルが「量が質を決め、質が良くなれば、量も増える」という言葉を残していますが、その通りです。

たくさんトライ&エラーをした人にしか見えないことがあります。コツコツ続ける工夫は150〜161ページが参考になります。

4　リサーチ&数字を使って戦略的に

モデルケース（後述します）を参考にしたり、フォロワーからの反応を次の投稿に活かしたり。インスタには「インサイト」という簡単にデータを分析できる機能もあり、結果を検証しながら自分の発信をブラッシュアップしていくことができます。リサーチやデータ分析の主なやり方は162〜185ページで紹介します。

モデルケースを見つけることから

他にも大切なことやノウハウはたくさんあります。「いったい何から始めればいいの？」という人に、私のおすすめは「モデルケース」を見つけること。

自分が望む未来や発信するテーマ、状況（年齢、仕事やプライベートなど）に近い人をインスタ内で探してみる。まだ夢がはっきりしていないなら「いいな」「素敵」と思うアカウントをフォローしてみる。そして「なぜ、いいと思うんだろう」「なぜ、うまくいっているんだろう」と考えてみる。お手本にして、自分でも試してみる。これをとことんやってみてください。

そのために、2章から50人分のモデルケースを掲載し、ノウハウを公開しています。単に知識で終わらないよう、各インスタのＩＤも記載しました。実際に投稿を見ながら本を読んでいただくと納得しやすいと思います。

アカデミーではコミュニティ（環境&仲間）づくりに特に力を入れています。夢を叶えていく人、前を向いて歩いていく人、それを応援し合う人しかいません。私たちにとって本書を読んでくださるあなたも同じ仲間のように感じています。

50人の投稿から盗めそうな部分はどんどんパクっていただいて大丈夫です！あなたの夢を心から応援しています。

CHAPTER 2

インスタで
夢を叶えた50人

インスタで夢が叶うための8つのテーマ

2章では、インスタで夢を叶えた50人の体験談を紹介します。得られる知見によって8つのテーマに分けました。欄外では、各事例について中島侑子からのコメントを入れています。

1 発信・テーマの考え方

P46 ～ 77

成功している人たちは、どのようなテーマで発信しているのか。いつ、どのような形でテーマを決めたのか。8人の事例を紹介します。

2 ブランディングのつけ方

P78 ～ 97

アカウントの価値、イメージを高めるために、そしてファンを増やすためにはどのようなことをすべきなのか。5人の事例を紹介します。

3 表現力・世界観の作り方

P98 ～ 149

目を引く世界観作りはとても重要です。どのような投稿をして個性を出すのか。表現力の高い13人の事例を紹介します。

4 継続する方法

P150 ～ 161

どんなに質の高い投稿でも続けられなければ意味がありません。継続するためにモチベーションを高める工夫をしたり、時間捻出法を編み出した3人の事例を紹介します。

5 リサーチ（分析、対策）のやり方 P162 ～ 185

「これをやれば必ずフォロワーが増える」という正解が見えないのがSNSの世界。だからこそ、分析と検証で効果的な方法を探る必要があります。どのような方法でリサーチしているのか、6人の事例を紹介します。

6 インスタ機能の使いこなし方 P186 ～ 201

インスタは写真の投稿だけと思っている人も多いですが、実はその他にも様々な機能があります。インスタの機能を上手に使いこなしている4人の事例を紹介します。

7 PRを依頼される伝え方 P202 ～ 209

フォロワーが増えてくると企業から「この商品を紹介してください」といった依頼が来るようになります。PRを依頼されるアカウントになるためには、何をすればいいのか。2人の事例を紹介します。

8 集客に繋げる方法 P211 ～ 245

自分のビジネスへと繋げたいとインスタを始める人は多いです。でもどうすれば商品の購買や講座の受講を勧められるのでしょうか。インスタで集客に成功した9人の事例を紹介します。

01 子育て中の専業主婦から鉄道アンバサダーへ

まなちゃん

主婦

Instagram ID
@manamin.37

Before

社会から孤立した子育て中の専業主婦

０歳と３歳の子どもがいる専業主婦で、社会から孤立していました。離婚したい、現状を変えたいと思っていましたが、何のスキルも特技もない私がどうやって現状を抜け出したらいいのかわかりませんでした。子どもが幼稚園に入るまでは一緒にいたいと思っていたので、子どもが側にいながら自分の人生を変える術はないかと模索していました。子どもとしか話していない日も多く、引きこもりでした。

After

「“子ども”と“旅”を仕事にしたい」が叶った

こどもちゃれんじの販促ムービーへの出演や、親子モデルなどのお仕事をいただけるようになりました。また、「子鉄と楽しむ子連れ旅行」というテーマで発信していたところ、関西の大手鉄道会社２社のアンバサダーとして活動することになりました。私が企画したツアーを取り入れてくださり、アンバサダーの皆さんと一緒にツアーに参加するなど、インスタをやっていなかったら得られなかった毎日を日々楽しんでいます。

まず手掛けたのは、コンセプト決め

公園と家の往復しかしていない毎日だったので、最初は公園で子どもが遊んでいる写真から始まりました。しかし、だんだんとネタが尽きてきて、何か発信できるものはないかと自分の撮影した写真を見返してみたら、子どもが大好きな電車の写真がたくさんあることに気がつきました。そこで「子どもとの日常」と、何気なく電車の写真を投稿したところ、同じように子どもが電車好きなママさんと繋がることができ、次第に**「電車×旅×子ども」というコンセプト**が固まっていきました。

最も力を入れたのは、既存アカウントの分析

同じように電車の発信をしているアカウントの分析を行いました。

私が始めた当初は「子ども×電車×お出かけ」という発信をしているアカウントが少なくて手探りの状態だったのですが、現在は同じような発信をしているアカウントが非常に増えたので、ハッシュタグなどで工夫しました。例えば、「#子鉄」などといった自分が発信したいテーマで検索すると、すぐに分析し

中島侑子より

やりたいテーマがないという人は、自分が好きなものを自覚していないことが多いです。そういう場合はまなちゃんのように、自分が今までに撮った写真を見返すことで、何か発見があるかもしれません。

たいアカウントが出てくると思います。その中で、「自分がこんなアカウントを作りたい！」をすでに形にしているアカウントをいくつか見つけます。

アカウントのコンセプト、ターゲット、目的を考えて、なぜ自分がそのアカウントを魅力的に感じたのか考えました。

そうやって分析していって、**誰が見ても「この人の子どもは電車が好きなんだな」というのが伝わる世界観を意識**して、1枚目にはこだわって投稿しました。

続けるためにやったことは、仲間作り

同じようなアカウントの方と仲良くなれるようにメッセージのやりとりを積極的に行いました。鉄道好きの方たちと情報共有し合い、自分だけでは収集できなかった情報を教えていただけるようになりました。

仲間ができて発信することが楽しくなり、コメントをくださるのでモチベーションの維持にも繋がりました。

自分の強みは、発信のテーマが明確なこと

私は関西の大手鉄道会社2社のアンバサダーとして活動しております。この

ように大手企業さんからお声がかかるのは、発信のテーマがしっかりあるからだと思います。

私の場合は「子鉄と楽しむ子連れ旅行」というテーマがあり、どの鉄道会社さんとも自分が自信を持って一緒にお仕事できる状態を常に作ってきました。**自分がこれ！　というテーマを決めて発信を貫くことで、唯一無二の存在になり、**「子鉄旅ならまなちゃんだよね」と言ってもらえるように努力しました。企業の方から、「憧れのまなちゃん」と言われたときには、飛び上がるほど嬉しかったです。

先日は、星野リゾートのリゾナーレトマムにお仕事で招待していただきました。家族4人でスイートルームに宿泊させていただき、2泊3日全て広報担当の方の案内のもと、何から何まで準備をしてくださって、子どもが昼寝してしまったら急遽予定を変更していただくなど、とにかく至れり尽くせりの旅でした。

私はインスタグラムを通じて、子どもと旅をお仕事にしたいという夢が叶いました。**自分の人生は自分で切り開いていくもの**なのだと実感することができました。

中島侑子より

電車という、コアなファンがいるテーマを選んだのも、まなちゃんの強みでした。ニッチかつファンが多いテーマは、同じものが好きな人たちからの共感を得やすいので、応援されるアカウントとなりやすいです。

02

ただの会社員から フォロワー700人で 旅アンバサダーに

みさみさ
学習支援員
Instagram ID
@mii.pokemon_nuidori_trip

Before

本業に疲れ起業を目指すも行き詰まる

フルタイムのお仕事（教育系）に自分の趣味に、充実した毎日を送っていましたが、結婚を機に、自分の生き方や働き方について考えるようになりました。親友の起業をきっかけに、3年かけて資格を取ったり起業塾に通ったりしましたが、集客が苦手で「私にはビジネスは向かない。でも、このままの働き方を続けるのは嫌だ。どうしよう」と思っていました。

After

「写真×旅×東北」でフォロワー700人で旅アンバサダーに

ぬいぐるみを写真に入れた「ぬい撮り」、さらに差別化のために「東北」をテーマに投稿することに決め、休日のお出かけぬい撮りと毎日の投稿を続けていきました。

その結果、始めて2ヶ月で「投稿のファンです！」という人が現れたり、3ヶ月を越えてきたあたりで旅関連のアンバサダーになることができたり、趣味が同じでお出かけ好きな東北のフォロワーさんたちと実際に秋田で集まることができたりと、嬉しい変化がこの数ヶ月間で立て続けに起こりました。

まず手がけたのは、アカウントの軸を趣味にしたこと

好きな物事を集めてみたら「ぬいぐるみ」「お出かけや旅」「写真」だったので、これらを全部入れて、旅行にぬいぐるみをつれていき、写真に入れてぬい撮りしつつ、観光やお出かけ写真を発信することにしました。また**差別化のために東北地域を主にする**ことも決めました。

さらに、120%自分の好きなことを発信すると決め、グッズやゲームについても好き度を余すことなく発信するようにしました。これも唯一無二のポイントになったかもしれません。

「東北はわざわざ旅行に行くところじゃないよ」。そう知人に言われたことがあったのですが、確かに都会よりは不便かもしれないけれど、自然が多い東北にしかない魅力や、都会ではなかなか出会えない美味しいものや穴場のスポットなどがいっぱいあるということも、全国の人に届けたいとも思っていました。

ターニングポイントは、世界の仲間と繋がったとき

最初の変化を感じたのは始めて1ヶ月余り経った頃。自分の発信がきっかけ

中島侑子より

日本のみならず海外の人たちからも認知されているテーマを選んだことで、世界を視野に入れられるアカウントになっています。ホテルで撮影していたところを海外の人に話しかけられ、そこからご縁が繋がることもあったそう。何より、自分が好きなことを余すところなく表現し、それがSNSを通して見る人にも伝わっているのが最大の魅力だと思います。

で、同じ趣味を持つ東北に住む仲間と繋がることができました。そしてその後、ぬい撮りオフ会やゲームのコミュニティができて、実際に会って楽しむ仲間ができました。また、スペインやイギリス、スウェーデン、台湾など、海外の人と自分の投稿についてメッセージでやりとりをするようにもなりました。

さらに2ヶ月後には、福島県の観光アンバサダーに任命されることになりました。福島県には有名な観光地やお出かけスポットも多いですが、そういった場所の魅力をぬい撮りで紹介することができ、楽しみがさらに増えました。

この時点でフォロワーは700人程度と決して多くはなかったのですが、**日々目的を持って丁寧に発信をすること**で、予想外の嬉しいことが自分の目の前に降りてくることを知りました！

最も力を入れたのは、ぬいぐるみと風景のバランス

ぬいぐるみたちが東北の観光地やお出かけスポットを楽しんでいる様子が伝わるように、**ぬいぐるみと場所の構図のバランスを考えながら写真を撮る**ことを心がけました。例えば、カフェに行ったという投稿であれば、カフェの内装がよくわかるようにぬいぐるみの写る面積を大きくしすぎないようにするなど、

あくまでそのスポットの魅力を伝えることを第一に撮るようにしました。

楽しむためのコツは、比較しないこと

人と比べないことです。「少し前の自分より今はこんなことができるようになった！」など、あくまで比較対象は自分。自分自身の1ミリ以上の進歩に意識を向けるようにします。同業者と自分を比べたり、短時間でフォロワーがぐっと伸びた人と比べたりし始めると、楽しめません。

また、自分に合った落としどころを見つけることも大事です。「インスタ映え」とか「キラキラ」「可愛い」といったものに憧れる人が多かったとしても、それが自分にとって違和感や苦しさがあるなら、発信は続かないと思います。

そこで、どこのポジションが心地いいのか、キーワードをノートに書いてしっくりくるものを探しました。私の場合は「個性爆発」「人とどこか違う」「楽しさ120％」「ぬい撮りの可愛い世界観」といったキーワードが出てきました。これらのテーマを軸に、写真や動画などを作っています。

中島侑子より

フォロワー数が伸びるスピードには個人差があるので、同じようなことをやっているアカウントが急に成長すると焦りを感じる人は多いです。彼女も決してフォロワー数が爆増したというタイプではなかったのですが、それを気にしていたら今の楽しく発信している彼女はいませんでした。比較対象は「ちょっと前の自分」これが楽しく発信を続けていくコツです。

03 閉鎖寸前のロースイーツ教室を復活！ 70歳で月商300万円に

富田あけみ
ロースイーツインストラクター
Instagram ID
@rawsweet2000

Before

70歳のスイーツ教室、コロナ禍で閉鎖の危機に

８年目を迎えるロースイーツ教室は、講師の私が70歳、生徒さんも50代60代です。30代40代の方をお迎えできるようにインスタグラムでの発信に挑戦してみようと思っていました。しかし同時にコロナ禍も始まったことで教室が開催できなくなり、閉鎖することも考えていました。

After

日本全国、世界に講師輩出！　月収300万円以上に

悩んでいた頃、侑子さんに「オンラインでやってみれば？」とアドバイスをいただきました。オンラインはイメージがつきませんでしたが、すぐにZoomについて調べて実行しました。オンラインに切り替えて教室を再開したところ、収入が３倍になり月収は300万円を超えました。今では日本全国に、資格を取った生徒さんが続々と現れています。閉鎖寸前だった教室のピンチを、チャンスに変えることができました。

まず手がけたのは、徹底的に調べたこと

私は67歳から参加したので、インスタは初心者でした。言葉、用語がわからず、とにかく調べました。人に聞く前に自分で調べ、リサーチするようになると、どんどん力がついていきました。

ターニングポイントは、「誰に伝えるんですか？」と言われたとき

インスタを始める目的が「教室の集客」だったので、テーマをロースイーツにするというのは最初から決まっていたのですが、侑子さんの一言で気づきがありました。

「誰に伝えるんですか？」

ロースイーツをどんな人に伝えるか？

それまでの私は、自分の作ったロースイーツ、ローチョコレートを黙々とインスタに投稿していました。ただ作ったものを漫然と上げていくだけだったのですが、侑子さんの言葉で、誰に伝えたいのかを明確にしてみることにしました。

私がそもそもロースイーツを始めたきっかけは、夫が体調を崩したことでした。甘いものが好きな人なので、同じように甘いものを食べるなら身体にいいものが良いだろうと色々と調べているうちに、ロースイーツの存在を知りました。小麦粉や砂糖を使わず、加熱もしない。それなのに美味しくてヘルシー。

実は私はスイーツ作りが苦手という自覚があったので、教室をすることすら当時は頭にありませんでした。ところが作ったスイーツをフェイスブックに投稿したところ、1000以上のいいねをいただき、「教えてほしい」という声をたくさんいただきました。そこで1度きりのつもりで教えたのが始まりです。

夫の体調がきっかけではありましたが、教室を続けていくうちに「血糖値が高めだったのが安定してきた」「お腹（なか）の調子が良くなった」「ケーキを食べたことがない息子に、初めてケーキを食べさせてあげることができました」といった嬉しい声をいただくようになりました。

私の作るスイーツで、健康になってもらいたい。そういった思いから、ダイエット中の人、糖尿病予備軍、アレルギーの人にも安心して食べられるものが作れるようになる、というのが伝わるように、**ハッシュタグに「#低糖質」「#アレルギー」「#糖尿病予備軍」などといった言葉を入れました。**そうしたところ、流入が増えました。

また、それまでフェイスブックだけで集客していたのを、インスタに絞りました。50代60代の方たちが中心だったのですが、より熱意ある若い世代にも訴求したいと考えたからです。結果、30代40代の若いママさんたちが増え、さらにはコロナ禍でオンライン教室に切り替えたことで、日本全国、さらには海外からの受講者が増えました。ロースイーツを教えたいという人が増えたため、インストラクターとして活動できるように資格を発行するための協会を設立し、現在では日本全国にロースイーツの講師が生まれています。

最も力を入れたのは、届きやすい写真とキーワード

写真の撮り方も工夫しました。スマートフォンで昼間に近寄って撮るくらいですが、明るさ、立体感が伝わるように特に気をつけました。

また、リーチしたい世代にどんな言葉が届くかを考えてタグをつけるようにしました。50代60代だと「アンチエイジング」「免疫効果増強」など。30代40代だと「アレルギーのお子様でも食べられる」「美肌」「ダイエット」。**届けたい人たちがどのようなワードで検索するかを考えながら、**投稿しています。

中島侑子より

あけみさんのすごいところは、とにかく素直。そしてアドバイスしたことを行動に移すスピードが誰よりも速いということ。誰でもできるようで、できている人は意外と少ないです。今でこそZoomで料理のオンライン講座を開くというのは珍しくないですが、あけみさんはまだ誰もやっていない頃から始めていた先駆者でした。チャンスを掴むには行動力とスピード感。あけみさんの成功にはそれが詰まっています。

04 助産師の経験を活かし妊婦インスタグラマーとして多数のPR案件を獲得

さちよ
助産師
Instagram ID
@sachi_mw.mama

Before

育休後の働き方に悩み、会社員以外の道を模索していた

会社員以外の働き方や収入を得る方法を模索していました。夜勤もある職場で2人目を妊娠中だったので、育休後の働き方をどのようにするかで悩み、インストラクターなどにチャレンジしたこともありました。しかし集客やセールス自体が苦手でうまくいかなかったことが自分の中に残っており、挑戦することに臆病になっていました。

After

妊婦インスタグラマーとして多数のPR案件をget

好きな旅行が仕事になるという、そんな世界があることに驚き、子どもと行くお出かけスポットを発信していきました。

売り込むことが苦手なのでほとんどセールスをしていないにもかかわらず、フォロワーは1万5千人に増え、インスタ講師としても仕事が入るように。さらに多くのPR案件を依頼されるようになりました。

まず手掛けたのは、徹底的な相手目線を意識

旅行が好きなので、「子連れ旅行」をテーマにしました。しかし当時はコロナが流行しており、医療職であったことと妊娠中だったこともあり、遠くへの旅行は難しかったので、県内のお出かけ情報をメインに発信することにしました。

コロナ禍でも小さい子どもを連れて行ける遊び場や、四季折々の自然を楽しめる場所などを意識して、子連れ目線のレポートを心がけました。

子どもとのお出かけは思った以上に大変です。カフェやレストランであればキッズスペースがあるかどうか、お子様ランチの有無、座敷やオムツ交換室の有無など、**子連れでの使いやすさを意識**してレポートしました。

お出かけ先では、どんなことに子どもが夢中になっているか、良かったことだけでなく、気をつけた方がいいことなど、**実際に体験したからわかる生の声を入れる**ようにしました。

また、旅育（たびいく）に興味があったので、お出かけや旅行を通して生きる力を身につけてほしいと思い、その視点でどんな風に関わったかなども伝えました！

中島侑子より

徹底して相手目線に立って投稿できる人は少ないです。子連れの人がどんなことを知りたいかを意識してレポートするだけで、受け手にとって有用な情報になります。

最も力を入れたのは、子育ての日常を発信するようにしたこと

子どもの成長や子育ての悩み、日々の子どもとの事件簿などを発信することで、育児が終わった方なども含め、幅広い年齢の方からも応援していただけるようになりました。

ママたちからは、育児のあるあるや悩みなど共感の言葉や「うちの子はこうだよー」などといったアドバイスを多くもらい、同じママとして身近な存在に感じてもらえたことで、育児の同志のような、ママ友のような関係性を築けました。また、育児が終わった世代は孫の成長を見守るような温かな関わり方をしてくださる方が多く、子どもの成長の様子や何かにチャレンジしている様子、面白エピソードなどを伝えることで、一緒になって応援し、喜んでもらえることが増えました。

良いところだけを切り取るのではなく、落ち込んでいることやダメな部分も出すようにすることで、よくあるインスタでのキラキラした綺麗(きれい)な部分だけではなく、等身大の自分に親しみを持ってもらえたように思います。

また、田舎暮らしなので自然の中でのびのび暮らしている様子を発信したり、

助産師として専門的な視点からの育児についてもストーリーズや投稿に入れたりするようにし、**普通のママアカウントと差別化を図る**ようにしました。

ファンを増やすためにしたことは、こまめな交流

フォローしてもらった後に、よりファンになってもらえるようなコミュニケーションについても研究し、実践しました。

ためになる情報をただ発信しているだけでは人間性が伝わらないので、ストーリーズや投稿のエピソードで**人となりが伝わりやすい投稿**を心がけました。

また、**ストーリーズや投稿でフォロワーさんとの交流**を意識しました。

親しみが湧きやすいような投稿をすることやフォロワーさんとの接触頻度を上げることで、よりファンになってもらえたように思います。

中島侑子より

私はよく「妊婦さんこそインスタをやって」と言うのですが、妊娠・子育てのアカウントは応援したいムードにもなるし、マタニティのPRも多いのでその時期にしか受けられない案件も多数あります。さちよさんの場合はさらに助産師さんでもあるので、専門的な知識があり信頼性が増す。自分にとっては当たり前のことでも、誰かにとっては「すごくためになること」になりえます。

05 当時はまだ少なかった スイーツ男子路線で パイオニアに

大村太一
会社員
Instagram ID
@taichi_omura

Before

職場と家を往復するだけの灰色の毎日

職場と家を往復するだけの生活が数年続いていて、「このままではいけない」という思いがありつつも、どうすればいいかわからないという状態が続いていました。

このままサラリーマンを続けるのでは灰色の人生になる。しかしそれも自分の選択だ、仕方ないと思っていました。

After

スイーツ男子のパイオニアになり、会社のインスタ担当に大抜擢

今は転職もして仕事にやりがいを感じて前向きになれていますし、プライベートのグルメ食べ歩きもインスタグラムを通してPRの依頼としてお店からご招待いただけるようになりました。また、このアカウントをきっかけに所属会社のインスタグラム運用、企画担当に抜擢されました。

まず手がけたのは、スイーツ男子に路線を定めたこと

元々グルメは大好きでしたが、ジャンルが細分化されているので、その当時はまだ少なかった**スイーツ男子路線**を考えました。スイーツは女子受けするジャンルですが、だからこそ男性が発信すればパイオニアになれる可能性があると思いました。

苦労とは感じていませんが、まだまだスイーツ＝女子というイメージは強いと思います。お洒落カフェに行くとだいたい二度見されますし、「お連れ様は？」と聞かれます。また店内は95％が女性の方なので、視線を感じます。

工夫したことは**自分は写らず完全に商品メインで撮る**ということ。自分のアカウントの主役はグルメ、スイーツなので、自分は出さない。そして主役のスイーツをいかに綺麗に映るか、美味しそうに見えるかを考えて撮っています。

ターニングポイントは、1万フォロワーを達成したとき

1万フォロワーを超えてからがターニングポイントでした。

男性で1万フォロワー超える価値というのも、同時に感じました。

中島侑子より

男性がスイーツをテーマにしたのが新しかったと思います。自分がパイオニアになれる分野をインスタ内で探すのは、一般の男性がインフルエンサーになるポイントです。

インスタは特に女性が活躍しやすいフィールドです。フォロワー数も伸びやすいです。その中で、「男性が1万フォロワーを超えることは、女性が1万フォロワー超えることの3倍の価値がある」と侑子さんに言っていただけました。実際、芸能人以外ではそんなにいないと思います。

しっかりと目標を決めて行動すれば、男性でも1万フォロワーを達成できるということを身をもって実証しました。

工夫したことは、毎日の投稿と数字の分析

グルメ系のアカウントは多いですが、そこで頭ひとつ抜けるために毎日しっかり投稿し、さらに数字を見て検証と改善を繰り返しました。

自分はひとつのことにのめり込むと、それだけに集中する傾向があります。コツコツ続けていった結果、今ではすっかり習慣化して、侑子さんのもとで学んでから4年近く経った今でも毎日更新を続けられています。

また、投稿の数字をしっかり見て、分析を日々行いました。他の似たようなアカウントはどんな投稿をしているのかとリサーチし、それを実際に自分の投稿に反映させてみて、ビフォーアフターでどのようになったかの数字の検証を

行いました。ちょっと増えたり、ちょっと足りなかったり、そんなに変化がなかったり。そうやって、どんな投稿が良いかを分析していきました。

最も力を入れたのは、世界観の統一

フィードの世界観にこだわりました。スイーツ2：その他1の割合を崩すことなく続けたことで、内容と配置列が一目でわかるような形になりました。また、**日々の活動記録は、発信を始めてから今日まで欠かすことなく数値化**しています。例えば、今日までのフォロワーの増減などです。これらをデータとして残しています。そうすることで、振り返ってどの投稿が良かったかなどの分析に使えます。

そのデータを会社アカウントの運用や社内インスタ講座に役立てています。まだまだこれからですが、会社へ貢献できるようもっと分析していこうと思っています。

中島侑子より

スイーツはPR案件が多いジャンルです。高級レストラン、アフタヌーンティー、居酒屋、カフェ、タピオカ店などのテイクアウトのお店など様々です。大村さんの場合、案件でなくても新商品をいち早くチェックしては紹介していて、それもフォロワー増加に一役買っていました。同じタグを使って投稿している人たちがそのタグを辿り、彼のインスタに辿り着く。スタバなど一定数のファンがいるところの新作や期間限定商品は特にその傾向が強いです。

06 テーマを絞ったことでターゲット層に届き年商2000万円の経営者に

佐藤まどか
バストアップスクール経営
Instagram ID
@madoka_bustup_salon

Before

7人子育て中の生活保護シングルマザー

生活保護を受けながら7人の子どもを育てるシングルマザーでした。子育てが大変すぎてチャレンジするという余裕がなく、子どもを最優先にしていたため自分のことは常に後回しになっていました。

人生を変えるためにエステサロンを起業し、自己投資をして学び、インスタグラムで集客をしようと自己流で頑張っていました。しかし結果に繋がらず、1000フォロワーにも届かずに限界を感じていました。

After

年商2000万円の経営者兼読者モデルに

「よもぎ蒸し」「小顔エステ」「バスト」と、3つのテーマについて発信していたのを、思い切ってバストひとつにしてターゲットを絞りました。そうやって2年続けた結果、全国からファンが殺到するバストアップスクールに。また、長年の夢だった「美ST」の読者モデルとして活躍し、日本中のママに夢と希望を与える存在になることができました。

まず手がけたのは、テーマをひとつに絞ったこと

インスタグラムはエステサロンの集客目的で始めました。当初、「よもぎ蒸し」「小顔エステ」「バスト」という3つのテーマについて発信していましたが、すごく迷った末にひとつに絞りました。その方がターゲット層に届くと思ったためです。そうして一番自分の熱が込められる「バスト」に特化したところ、たくさんの人に見ていただけるようになりました。

最も力を入れたのは、熱が込められるテーマ選び

自分の熱が込められるテーマ選びはとても大切なポイントだったと思います。私は自分のバストについて、深刻に悩んでいた時期がありました。ですので、同じように悩んでいる人たちの気持ちがとてもわかりますし、応援したい、力になりたいと思っています。ビジネスと発信は、熱量が伝わらなければ人の心は動かせません。もし「よもぎ蒸し」や「小顔エステ」を選んでいたら、今のステージには立てていないと思います。

ターニングポイントは、過去の自己開示をしたとき

インスタグラムでの発信方法を変えたときです。**思い切った過去の自己開示や、自分の本音を伝えることでコアなファンができて、それが収益化に繋がった**と考えています。初めて収益化できる手応えを感じたのは、バスト施術の継続コースが売れたときでした。ありのままの私を伝えるようになってから、全国からファンの方々がお店に来てくださるようになりました。途中からエステサロンだけではなくスクール経営も始めましたが、集客はインスタグラムだけで完結するようになり、月商は500万円を超えることもあります。

また、『バカ売れキーワード1000』（堀田博和／KADOKAWA）という本を愛読していて、それを参考にして使う言葉を変えるようにしました。

ビジネスの成功は言葉の使い方にかかっています。熱い想い、素晴らしい技術を持っていたとしても、それを言語化できないと、集客、収益化には繋がりません。ただ漫然と「体験コース募集しています」と伝えるよりは、「体験コース限定5名様！」といった言葉にすることで、「早くしないとなくなっちゃうよ」といったメッセージを伝えることができます。

中島侑子より

まどかさんが私の講座に来られたとき、7人のお子さんを抱えて生活保護を受けるシングルマザーでした。清水の舞台から飛び降りる気持ちで受講されたと聞きました。

そんな不安や自分の弱さをストーリーズで自己開示された結果、1ヶ月ちょっとで1万フォロワーを達成しました。並大抵の覚悟ではなかったと思いますし、だからこそ言われたことをすぐにやる素直さとスピード感と行動力は図抜けていました。そういう人は必ず結果を出します。

ファンを増やすためにしたことは、「いいね」とリール動画

私と同じような発信をしているライバルアカウントに「いいね」をしている方に、コメントを入れるようにしました。そうすることによって顧客を開拓し、フォロワーがどんどん増えていきました。

また、リール動画を投稿することで拡散していただけるようになりました。役に立つ、面白いなど何度も見たいと思われる動画を投稿するようにしています。

これからの夢は、ママの自立や自由を応援すること

エステサロン経営だけではなくスクール経営まで始め、今では全国から人が集まる予約の取れないサロンになりました。念願だった「美ST」の読者モデルになったり、女優の藤原紀香さんが登壇された侑子さん主催のチャリティイベントでゲストとして登場させていただきました。ジャパン・シングルマザー・ビューティー・アワード東京大会（2023）でグランプリ、オーディエンス賞、審査員特別賞の三冠をいただくこともできました。これからもママの自立や自由を応援できるよう挑戦を続けたいと思っています。

07 憧れの人を応援していたら その本人と繋がり さらに人脈が拡大中

白土楊子

弁護士

Instagram ID

@shiradoyoko

Before

食べ物の写真を上げるも続かない

インスタグラムに登録したはいいものの、何を投稿していいかもわかりませんでした。美味しいものを食べるのが趣味なのでグルメ投稿をしていましたが続かず、そのままになっていました。

After

誰かを応援することで、圧倒的に人脈が広がった

漠然と「PR案件が取れたらいいな」という気持ちで侑子さんのもとで学び始めました。そこで私が会った人や憧れの方を応援するような投稿を始めたところ、その方がストーリーズでメンションをしてくださったり、直接メッセージのやりとりをしたりできるようになりました。今ではお付き合いする方の幅が広がりました。

まず手がけたのは、グルメ投稿。しかし続かず……

美味しいものを食べることが趣味なのでグルメ投稿をしていましたが続かなかったので、私が会った人や応援したい人の投稿をすることにしました。

グルメは好きですが、毎日投稿できるくらいのネタがなかったのが続かなかった原因です。また、ほかのグルメ投稿との差別化も難しかったです。

ターニングポイントは、人を応援し始めたとき

自分の好きなこと、熱意が持てるものを投稿するようになったことです。

グルメ投稿以外で何をしようかなと思ったときに、私は人に会うことが大好きだということを思い出しました。

それで、私が会いに行った方と一緒に写っている写真を投稿して、「私自身がすごく楽しんでいるよ！」というのを、インスタでUPするようになりました。もう完全に自己満足の世界です。見ている皆さんに役に立つというよりは、元気やパワーを受け取ってもらえる方向にシフトしました。

需要を考えるより先に自分が楽しんで発信する方が大事だと割り切りました。

一番大きな変化は、憧れの方と仲良くなれたこと

私にはずっと憧れの方がいるのですが、グルメ投稿をやめてその方を応援する投稿をするようになりました。そうしたところ、憧れの方がストーリーズでメンションをしてくださったり、私のアカウントをフォローしてくださって、その方とDMができるようになったりと、とても嬉しいことがありました。

そこから何人かの著名人の方と仲良くさせていただく機会に恵まれ、プライベートでお食事をご一緒させていただくなど、インスタを始める前からは考えられなかったような時間を過ごせるようになりました。

インスタは著名な方でもご自身でアカウントを管理されることが多いので、ストーリーズにコメントをするとDMの形でご本人様に届き、お返事をいただけたりすることがあります。また、直接会ってご挨拶をさせていただいた後、DMをいただいたこともありました。

もちろん全員がそうというわけではないと思いますが、応援したり紹介したり、その方の名称を投稿に入れると、意外とご本人に気がついてもらえることもあります。著名人に限らず、「この人素敵だな」と思っている人がいる場合

中島侑子より

今でこそフットワークが軽い楊子さんですが、2年前は日曜日に出かけるのに旦那さんの顔色を伺っていたそうです。でも、「行くと決めて、私はその時間で吸収して帰ってくる」と決めると、罪悪感はなくなったと。夫と子供を置いて出かけることに罪悪感を覚えるママは多いですが、頼れるところは頼って、2時間でもいいので出かけてみると、何かが変わるかもしれません。

は、応援の気持ちで何かその方の紹介をしてみるのもいいのかなと思います。

常に心がけていることは、「相手の迷惑にならない」

誰かが出版された本とか、誰かが出演されているドラマとか、そういったものを紹介する場合に、相手の迷惑になってしまうことを心配される方もいると思います。例えばストーリーズにいいねを押すと、相手に通知が行きます。それを押しすぎると、「この人からの通知がやたら多いな」と思われることも。関係性にもよりますが、時間を開けるなどでバランスを取って、少し仲良くなったら多少数が多くなってもいいかなと。著名な方になればなるほどものすごい量が来ていると思うので、相手の目線に立ってできる限りご迷惑にならないような形で応援することを心がけています。

中島侑子より

インスタは、想像もしていない未来が開ける瞬間があります。ゴールを定めてそれに突き進んでいく、というのももちろん大事ですが、とりあえずやってみることが一番。発信を続けていくうちに、楊子さんのように想像もしない未来が待ち受けていたりします。

08 専業主婦から子連れ旅インフルエンサー&地域活性化のリーダーに

そのみ
主婦
Instagram ID
@sonomi_twinkle_life

Before

スキルなし超高齢出産&モヤモヤ子育て中の専業主婦

長くて出口の見えない不妊治療に専念するために働くことを諦めて数年後、41歳と43歳で可愛い兄妹のママになることができました。子どもたちが幼稚園に通い始めたのをきっかけに、派遣やパートを探してみたものの、年齢や時間の制限などによりなかなか見つかりませんでした。趣味の旅行へ出かけたくてもお金がかかります。せっかくママになれたのに、できることがかなり制限されているようで、モヤモヤしていました。

After

多くの優良PR案件を抱えるママインフルエンサーに

ママ目線の「子連れ旅」で発信を続けていたところ、フォロワーが増え、多くのPR案件をいただくようになりました。さらに、出身地である岐阜県のママコミュニティ「ママトコ」と、現在の居住地である東京都品川区のママコミュニティ「シナママ!」を主宰するようになりました。それぞれのコミュニティでママの仲間と一緒に季節のマルシェや親子向けイベントなどを企画・開催し、充実した毎日を送っています。

まず手がけたのは、「子連れ旅」

ママも一緒に楽しむ、ママ目線の「子連れ旅」をテーマにしました。小さな子連れママが家族みんなで旅行を楽しむためには、どうしたらいいか？　そのヒントを盛り込みながら、実際にどんな過ごし方をしているかを想像でき、「行ってみたい！」と思ってもらえるような投稿を心がけました。

ターニングポイントは、「子連れ旅」からテーマを方向転換したとき

子どもが小学生になり、気軽に旅行へ出かけられなくなったときです。そこで「子連れ旅」だけに絞らず、ママ目線のマルチなテーマで投稿するようになりました。軸はブレないようにしつつも人生のステージに合わせて方向転換することで、「旅行もファッションも子ども用品も、この人にお願いしたい！」とクライアントさんに思ってもらえるようなアカウントを作ることができました。

初めて有償のPR案件をいただいたのは、侑子さんの講座で学んでいるときでした。それをお伝えしたとき、侑子さんが自分のことのように喜んで褒めてくださったことが今でも記憶に残っています。

中島侑子より

そのみさんは専業主婦で、得意なこともない、自信もないと、最初は本当に悩まれていました。それが、お子さんと一緒に楽しまれている様子を発信することで、別人のように変わっていきました。

ＰＲ案件をいただいたことで、それまでの投稿を認めてもらえたと感じて自信に繋がり、今後もしっかり商品と向き合って自分の言葉で記事にして伝えていきたいと考えるようになりました。

ファンを増やすためにしたことは、投稿の精度を上げたこと

ひとつひとつの記事を、セルフブランディングに繋げたいと考えながら投稿しています。まず、たくさんのアカウントをリサーチすることを習慣付けました。ただ記事を書いて投稿するだけではなく、この投稿にどんな意味を込めたいのか、誰に届けたいのか、この投稿の先に何を見ているのか、などを考えて投稿するようになりました。

ひとつの投稿で終わらせるのではなく、「この投稿から未来へ繋げるためには、どのように撮影するべきか」「どのようなキャプションにするべきか」などを考えて投稿しています。

これからの夢は、子育てママへの支援

フォロワーが増え、多くのＰＲ案件をいただいていく中で、大きな目標に向

けて行動を考えるようになりました。まずは何をすべきか、どのようにインスタグラムを活用するか、目の前の小さな行動の必要性など、その都度吟味する癖がつきました。

そうして、地方創生のためのママコミュニティを立ち上げることになりました。ママと子どもが楽しみながら笑顔で岐阜県を活性化していく目的で、子育てママと子どもの岐阜ママコミュニティ「ママトコ」を作り、季節のマルシェや親子向けイベントなどを企画開催しています。また、現在の居住地である東京都品川区でも「シナママ！」というコミュニティを立ち上げました。

「シナママ！」は立ち上げたばかりでまだまだこれからですが、岐阜ママコミュニティでは、地元の企業とコラボレーションして小さな子ども向けの知育SDGs商品（檜(ひのき)のマス目パズル）を企画したり、地元の農園を応援するためにイベントを企画・開催したりと、積極的に活動しています。

「子連れ旅」というテーマから始まったインスタグラムの発信ですが、方向転換することによってどんどん変化し、夢が広がっています。

私だからできたんじゃない、私でもできたよ、みんなもできるよ、ということを、以前の私のようにモヤモヤしている子育てママに伝えていきたいです。

中島侑子より

方向転換することでフォロワー離れを心配する人も多いと思いますが、大切なのはフォロワーさんへの配慮。なぜ方向転換するのかをフォロワーさんに伝えること。そのみさんの場合は「子育て」という軸はブレなかったので、方向転換もスムーズでした。

09 具体的な数字とわかりやすいプロフィールでフォロワーが一気に爆増

平岡妙子
記者

Instagram ID
@taeko_manabi

Before

フォロワー168人。インスタグラムは「見るだけ」

記者として長い間働いてきたせいで客観的に報道するスタンスが身についていたため、自分を表現することはしてきませんでした。今の時代は記者でも自分の意見を発信することが求められていますが、どうやっていいのかがわかりませんでした。

また、仕事で運営していた子どもの学びと習い事を見つけるサイト「みらのび」のインスタを伸ばしたいと思っていました。そのために、自分自身もインスタで発信を学ぶ必要を感じました。私のインスタのフォロワーは、わずか168人でした。

After

自分を表すコピーを見つけ、フォロワー3000人に

自分がやってきたことを具体的に数字も入れて、伝わりやすいプロフィールを作りました。その結果「3000人にインタビューした記者」というコピーが生まれました。さらにフォロワー3000人という目標を掲げたところ、すぐに達成。当初はとても大きな目標だと思い込んでいました。

まず手がけたのは、目標設定

まずは目標設定をしました。「インスタグラムのフォロワー3000人」。当時の自分のフォロワーは168人だったので、とても大きな目標に思えました。

ターニングポイントは、プロフィールを数字で表現したとき

自分のプロフィールを「今まで約3000人に取材をした記者」に設定したときです。侑子さんから、**数字でわかりやすく表現することが大事**だと教えてもらいました。そこで今までインタビューした人をざっと計算してみたところ、3000人は超えることを、初めて自分でも把握したのです。

ただ、自分がやってきたことを大きな数字で表現して自慢することに、抵抗がありました。長く記者をやってきた人は、みんなこれくらいたくさんの人の話を聞いてきたと思うからです。でも客観的に考えると、それはとても貴重な体験です。なので、自分自身の特徴として出そうと考えました。

自慢ではなく特徴だと考えると、経歴に書くことに抵抗がなくなりました。

中島侑子より

講座の中でみんなに言っていることなのですが、プロフィールに数字を入れるというのはとても大事です。誰が聞いても3000人。どんな実績がある人か一瞬で伝わります。

壁を乗り越えられたのは、自分の体験が誰かの役に立つと知ったから

自分を出す、というのが私の中ではとても難しかったです。

私は長い間新聞記者をやってきて、人の意見を紹介する仕事をしてきました。大切な部分はその人が話した言葉で伝える。それが取材して客観的に伝える仕事です。自分の言葉で、意見を主張することを経験してこなかったために、自分を出すことがとても難しかったです。自分の体験なんて、たった一人のちっぽけな一意見だから、という思いもありました。

ただ、一人が感じたことは、誰かも同じように感じている。**私が感じたことを伝えることは、誰かの役に立つ**のだ、ということを、侑子さんの講座を通して実感しました。誰かが自分の悩みや困ったことを訴える。そのことが、聞いていた他の人たちみんなの学びになる。

だから私自身も、日記のような日々の体験でも、伝えていくことが誰かの共感を呼んだり、役に立ったりすることができるのではと思いました。

そういった気づきや変化を経て、自分自身を出せるようになりました。

発信する中で大事にしていることは、共感を呼ぶ伝え方

文章の書き方を工夫しました。自慢になりすぎないように、自虐的な要素も見せながら、共感を呼ぶ伝え方を考えました。

「すごいでしょ!」と美しく見せるだけでは、自慢するだけになってしまいます。「こんなすごいことがあって、嬉しい!」という**喜びの気持ちも一緒に表現することが、共感を呼ぶのかな**と感じています。

また、「こんなすごい人に出会った私」というスタンスで発信してしまうと、「私自慢」になってしまいます。それよりは、出会った人の素晴らしさを伝えたい、という思いが前面に出ることが大切だと思っています。

「この人を紹介するために、私が伝えているのだ」というスタンスを守るようにすると、結果として、素晴らしい人たちに出会えている私自身を、「いいな」と思ってもらえるのだな、と感じています。

「出会った人を輝かせることで、自分も輝く」が私のテーマです。このテーマを自覚することで、自分を出すことが楽しくなりました。

中島侑子より

誰かを応援したい、という気持ちが強いとても素敵な方です。でも、自分を表現するのはとても苦手でした。今は、インスタで自己開示を続け、P210の富永彩心さんのスタイリングを受け、服の色が激変して表情もとても明るくなり本来の彼女の魅力全開です。自分の写真すら苦手だった方が、ライブ配信で、他人の魅力を引き出すのが天職だとわかりました。

10 キャッチーなネーミングでフォロワーが毎日100人ずつ増加

池田美応
パート主婦
Instagram ID
@miosingapore

Before

英語が話せない海外永住ママ

元々はシンガポール在住の専業主婦で、友達はおらず英語は話せず、仕事もナシ、子どもナシ。自分を見失っていた時期もありました。その後、子どもが産まれ、パートのお仕事やインスタを始めるも自撮りすらできず、フォロワーの伸ばし方やPR案件のもらい方がわからずに悩んでいました。いつか自分のアカウントが伸びたらインスタの講師になりたいと思っていましたが、やり方がわからないままでした。

After

シンガポール No.1 日本人 PR インフルエンサー

自己開示を続けた結果、フォロワー3.5万人に。シンガポールでインスタ講師として起業できました。受講生は世界10ヶ国から集まり、即日満席に。毎期選抜された約10名に3ヶ月間のZoom講座（グループコンサル）をしています。現地の方からも「日本人のミオにお願いしたい」と指名でPR依頼が入るほど、シンガポールで日本人を代表するインフルエンサーの地位を確立。講座でも“日本人が海外でも活躍できる道”を伝授しています。

まず手がけたのは、発信コンセプト

どのように発信するかをまず考えました。

私はシンガポール在住のパート主婦なので、「ママでパート主婦＝自分の時間がない」というイメージとは真逆の、「友達とランチに行ったり、親子オソロコーデを楽しんだりできるよ！」というのを伝えたいと思いました。そこで、3つに1つは親子コーデ、残りはシンガポールのグルメ情報を中心に投稿しました。

ターニングポイントは、海外からPR依頼が来たとき

日本ではなく現地の方から、英語でPRの依頼が来たことです。この頃でまだ数千フォロワーでした。

ミシュラン星付きレストランからPR依頼をもらえたことや、日本人が経営するネイルサロンのジェルネイル（アートし放題）は、1年契約で「いつでも好きなときに無料で施術します！」と熱烈オファーをいただきました。

さらにフォロワーが2万に達した頃、「シンガポールNo．1日本人インフル

エンサー」と**キャッチーなコピー**を付けました。そうすると、当時始まったばかりの音声SNSのクラブハウスでもすぐ覚えてもらえるようになり、何もしなくてもフォロワーが毎日100人ずつ増えるようになりました。

キャッチーなネーミングはとても大事です。とにかく人目を気にしないで、自分がそう思ったら遠慮なく書く。**権威性**があるか、もしくは**親近感**があるものを選び、**〝一度読んだら忘れられない名前〟**がベストです。

ファンを増やすためにしたことは、こまめな反応

繋がりたい方にはこちらからアプローチするようにしています。投稿だけでなく相手のストーリーズにも反応するようにしました。右下の小さいハート♡（いいね）はもちろん、DMに届くスタンプも送り、相手に気づいてもらいコミュニケーションを取っています。

PR案件を増やすためにしたことは、顔出し投稿を増加

元々は自撮りすらできなかったのですが、顔出しを増やすようにしました。そうしたところ、雑誌「サンキュ！」のWEBにヘア特集で掲載されたり、美

中島侑子より

美応さんは当初、他の海外在住ママとの差別化に悩んでいました。そこで「No．1というのは名乗ったもの勝ちだよ」と伝えたところ、そこから大幅に変化がありました。自分がNo．1だと名乗ると、自分に暗示がかかります。自分でブランドを作り、それに自分をあてはめるようになります。

そうお伝えしても、大抵の人は自分で自分のキャッチをつけるのは難しいしできないと言います。でも美応さんはそれをさくっとやってのけました。それが彼女の強みだと思います。

容サロンからPR案件をいただいたりするようになりました。

また、日本在住日本人との差別化を図るために、写真を工夫しました。南国らしさを出すために写真全体を色鮮やかにすることで、〝シンガポールらしい〟とか〝世界観が整っている〟と言われるようになりました。

キャプションに短文でもいいから英語も書くようにしたところ、シンガポール現地からのPRの依頼が来るようになりました。

特に良かったことは、休まず投稿できたことと分析する習慣

半年間1日も休まずに投稿できたときは、達成感だけでなく、**自分との約束を守れたことで自己肯定感がすごく高まり**ました。

また、インサイトを見る習慣がついたのも自分にとって良かったことのひとつです。

顔出しも、親子コーデ投稿も、インサイトを見て反応が良かったので始めましたし、リーチが伸びたときは、発見が伸びたのか、「#」が良かったのかを確認して、#タグならどれがヒットしたのかを検証し、改善する習慣がつきました。

ハンドメイドの世界では異例の顔出しで収入30倍に

千森麻由
レース編み講師
Instagram ID
@kera_nanduti

Before

レース編み教室の集客に悩む日々

レース編み教室の集客にインスタグラムは相性が良さそうと思ってはいたものの、どうすればフォロワーが増えるのか、たくさんの方に見てもらえるのかがわかりませんでした。また、ハンドメイドの世界で突き抜けた存在になりたいと思っていましたが、方法がわからず、ずっと悩んでいました。

インフルエンサーになれたら、集客の悩みが解決するのかもしれない、自分に自信が持てるのかもしれないと思いました。

After

募集開始即満席の人気講座になり、収入は30倍に

講座の募集を開始すると、すぐに満席になるような人気講座になり収入は30倍になりました。

現在、サービスへ申し込んでくださる方は、ほとんどが「インスタグラムを見て……」と言ってくださいます。レッスン初日に「先生にお会いしたかったんです！」と言われたときは感動しました。

まず手がけたのは、顔出しインフルエンサーのリサーチ

どんな人間が開講しているのかを受講する方に知っていただく必要があると感じ、またハンドメイドの世界は顔出ししていない方が多いので、顔出しをすることで差別化に繋がると思いました。そこでまず、顔出ししている有名なインフルエンサーをリサーチしました。

顔を出すのに抵抗がある場合、髪で顔を隠して斜めから撮るとか、手など身体の一部を入れるところから始めると、多少ハードルが低くなると思います。

ファンを増やすためにしたことは、受講者の不安を取り除いたこと

どのように作っているのか、この人の教室はどんな感じなのか、どんな人が講師なのかを、受講する側がイメージしやすいように、投稿内容を意識しました。また、9〜12投稿にひとつは必ず自分の顔を入れるようにしました。

今まで手芸に取り組んだことがない人だと、「材料はどこで手に入るの？」「初めてでも簡単にできるの？」「初めてだと、どんな作品ができるの？」「教室はどんな風景？　どんな雰囲気？」「将来どんな作品が作れるようになる

中島侑子より

すごくお綺麗なのに、当初は顔出しに抵抗があった方です（そういう方が実に多い）。でも、特に教室などは先生の顔が分かった方が安心できて行きやすく、集客には重要です。

の?」「講師はどんな人?」といった疑問がたくさん出てくると思います。なので、それらの答えになるような投稿をしていきました。

材料や作れる作品などの写真を投稿するのはもちろんのこと、講師はどんな思いで活動しているのか、などの考え方も投稿するようにしました。

熱い思いを綴(つづ)った投稿には、すごくたくさんの方から反響がありました。

工夫したことは、綺麗な可愛い写真

とにかく日々綺麗な可愛い写真を載せる! そのために、写真の撮り方や加工の仕方をかなり研究しました。パッと見て、明るく鮮やかな写真が並ぶように心がけました。季節に合った小物を配置してみたり、ナチュラルさを感じるように植物を置いてみたり。**作品が映えるよう、なるべく背景は白一色**などシンプルにしました。

加工はプロが使うアプリで編集して、影を消してみたり、一部の色味だけを変えてみたり。余分なものが写り込んでいたら消すなど、自分が綺麗だなと思える写真にしました。

自分で納得いく写真を載せられるようになってきた頃から「写真がいつも綺

麗ですね」とか「写真の撮り方が上手ですね」と言われるようになり、自信にも繋がりました。

また、競合のアカウントをリサーチして、良いところを取り入れるなど、研究を怠らず、かつ毎日様々な投稿を行いました。さらに、インサイトを確認しながら来訪者数が多い時間を狙って投稿するようにしました。

ターニングポイントは、インスタの活用方法を理解したとき

インスタを使ったビジネスの組み立て方の流れがわかったことです。**インスタは、いわば〝広告〟のようなもの**です。大多数の人に見てもらう場所。その中には、私の活動に興味がある人とない人が入り交じっている状態です。なので、興味がある人だけを集めておいて、何かの募集やお知らせをするときは、そこのメンバーにオファーをするのが良いと学びました。

発信をするうちに、仕事をしていく上でとても大切な考え方なども学び、マインド的にとても変化しました。

私には無理、と思っていたPR案件もいただけましたし、頑張れば1万フォロワーを本当に達成できるんだ、ということも実感しました。

中島侑子より

ハンドメイドの世界では顔出ししている人が少ないこと、日本ではかなり希少なパラグアイの伝統の刺繍をされているということもあり、他の人より差別化は容易だったかもしれません。しかし、ハンドメイドの世界はお金を稼ぐことに苦手意識がある方が多いです。その中でインスタで発信力とビジネスのコツをつかんだことにより利益を上げている麻由さんは、作家さんにとってもママさんにとっても希望の星となっています。

12 「イメージコンサルタント」を「美印象の専門家」に置き換えわかりやすいプロフィールに

あべりか
イメージコンサルタント
Instagram ID
@abe__rika

Before

ブランド戦略では成功するも、苦しむ

父が初代リカちゃん人形の開発者で、幼い頃から自分と人形の境界線がわからず、そのまま大人に。国際イメージコンサルタントというスキルゆえに、無意識、かつ戦略的に「リカちゃん」のイメージと一体化していました。カウンセリングを学び、冷静に状況を分析できてはいたものの、この癒着したイメージをどう取り払うのか、戦略的に表現することに慣れてしまっていて、自己開示ができなくなっている状態でした。

After

私らしくいられることの大切さを経験

発信をするごとに自己表現が素直になり、自分の殻が一枚一枚剥(は)がれて自由になっていく感覚があります。これまで重荷だった「りかちゃん」という名前で呼ばれることが嬉しく、自分の名前が誇らしく思えるようになりました。

父が女の子に夢を与えたならば、私は、女性の夢を叶えるサポートをしたい。20歳から諦められなかった願いに向き合うことができ、ようやくスタートラインに立てました。

まず手がけたのは、ターゲット決め

そもそも、インスタグラムについて全くわからない状態からスタートしました。発信したいターゲットも決まっていなかったため、侑子さんのもとで学ぶ同期たちを仮に想定。彼女たちの個々の悩みごとや質問を拾っていくうちに、投稿内容が具体的になり、何をどう表現するのが一番わかりやすいのか、定型化できました。

投稿にライブを入れ、投稿内容の補足をするなど工夫する中で、ファッションに関する悩みの原因も理解できるようになりました。

- 洋服はあっても、どこで何を着ればいいのかわからず、いつも困っている。
- 結婚式やパーティーなどでドレスコードがあるときなど、「ねばならない」に囚われすぎて、自分で考えて洋服が選べない。その判断となる情報がない。

彼女たちと交流するうちに、私のオリジナルメソッドである「心理テストで個性を分析して、似合う装いをパーソナルカラーと合わせて提案する」というのが役に立ちそうな方を3人ほど見つけました。彼女たちに試してもらい、その素敵な変容を目の当たりにすることで、自分のやるべきことが見えてきました。

中島侑子より

経営者やバリキャリの方をターゲットに据えたことで、ブランディングが明確になりました。文字のフォント、写真など、全体的に上品なトーンで統一されています。独自の世界観を作るためには、ターゲットとしたい層の年齢、性別、職業、ライフスタイルなど、ペルソナを考えることが重要です。

工夫したことは、わかりやすい肩書きに変えたこと

「イメージコンサルタント」は文字数が多く、何をしている人かわからない、とのことで「美印象の専門家」として、プロフィールを変えました。**「美印象」という新しい言葉を作ることによって、考え方が柔軟**になりました。「印象」「美印象」「イメージ」の定義付けを改めて行うことで、自分の作りたい世界観が明確になりました。また、「美」を扱うということで、自分自身もより「美」を意識するようになりました。

一番大きい変化は、自分の名前を受け入れられたこと

父が初代リカちゃん人形の開発者だったことで、私の名前も「りか」と名付けられました。しかし、そんな私は小さくて可愛いリカちゃん人形のイメージとは全く違っていて、大きくて力持ち。私の人生は、そのリカちゃん人形と自身の違いに苦しみ続けることとなります。苦しんだ私は、自己啓発セミナーやスピリチュアルなど、ありとあらゆるセミナーに通い、徹底的に「リカちゃん」の存在と向き合い、最終的に印象のことを研究するために大学院まで行き

ました。修了後は、公認心理師の資格も取得しました。

ようやく自分のことを認められるようにはなりましたが、名前の由来を公表することはありませんでした。

私はインスタグラムで発信するにあたって、人生で初めて「リカちゃん」と自分についてカミングアウトしました。これは、私にとってあまりにも大きな自己開示であり、とても勇気が必要なことでした。

信頼できる仲間たちや、フォロワーさんたちが「りかちゃん」と呼んでくれるようになったことで、それまで記号としてしか認識できなかった「りかちゃん」という言葉が、愛情の詰まった名前として大好きになれました。そして、私らしくいる大切さを経験しました。

私の夢は、「父が女の子に夢を与えたなら、その夢をサポートできる人になること」です。個性から似合う装いを分析し、盛るスタイリングではなく、自分らしさを大切にするイメージコンサルティングを行い、「考えて行動する」マナーができる女性を育てていくこと。「美と礼」で日本の女性を素敵にするコンサルティングをしていくことです。**インスタグラムの発信による自己開示によって、ようやくそのスタートラインに立つことができました。**

13 顔出しなしでわずか2ヶ月でフォロワー1万人達成

かいママ
会社員

Instagram ID
@kai_mama.tabi

Before

産休・育休で社会と断絶され、悩む日々

会社員としてバリバリ働いていたのですが、産休・育休で社会と断絶された毎日の中で、「世の中と繋がりたい！」という思いが募っていました。そんなときにインスタグラムで自身の日常を発信し始めたものの、どうすれば自分がインフルエンサーの立場になれるのかわかりませんでした。

After

フルタイム会社員のまま受けきれないほどのPR依頼が

元々好きだった旅と子どもを絡め、ママさん向けのお役立ち情報の発信を始めたところ、わずか２ヶ月でフォロワー１万人を達成。そこからすぐにPRの依頼が増え、旅やホテルの案件を受けきれないほどいただくようになりました。今では本当に行きたいホテルやお宿を厳選して紹介しています。

また、PRでの報酬やインスタ講座の開講など、会社員以外の収入を得ることができるようになりました。フルタイム会社員のままで、思わぬ形で起業することになりました。

まず手がけたのは、ママ向けのお役立ち情報の発信

私は元々、海外33ヵ国へ行くほど旅行が好きでした。大好きな旅を発信したいと思いながらも、コロナ禍や娘が1歳であったため、旅行に行くことができませんでした。そこで、まずはできること、**近場のお出かけや娘との日常の中で少しでもママさんの役に立つお得な情報を発信**しようと決めました。

侑子さんに教わったように毎日更新し続けた結果、顔出ししていないにもかかわらず、フォロワー1万人を2ヶ月ちょっとで達成することができました!

工夫したのは、顔出しせずに人となりを伝える

私が特に気をつけたのは、**顔出しをしていない分どのような人物が投稿しているかが伝わるように**、後ろ姿や横顔、体の一部などは意識して映り込ませるようにしていることです。顔出ししていませんが、「顔出ししていない感じがしない!」と言われています。

インスタグラムでは、どちらかと言えば顔出しはした方がいいと言われます。しかし私は、これまでの生活での人間関係とは切り離して自分の好きなことを

しがらみなく自由に発信したいと思ったため、顔を出さないで発信していくことに決めました。それと、プロフィールを定期的に見直して、「今」の自分の興味・関心を記載するようにしています。今したいこと、今行きたいところなどを記載しているのです。

例えば、海外へ行きたい気持ちが強いときは「海外旅」と、次の旅行の予定「タイ」と書いています。また、インスタ講座を募集しているときは、インスタ講座についても記載しています。

そうやってプロフィールを変えて数時間後に夢が叶ったことが何度もあります。子連れでキャンプやグランピングに行きたいと思っていたときに、「次は子連れでキャンプに初挑戦！」と書いた数時間後、グランピング施設からPRに来てほしいと依頼が舞い込みました！「次の旅はタイ」と記載したら、数日後タイのホテルの宿泊プレゼントに当選しました！

叶えたい夢、実現したい夢、楽しみにしていることをプロフィールに書いて、発信することがポイントです。

一番大きな変化は、会社員以外の収入を得たこと

インスタグラムを見ている立場から発信する立場になって、本当に世界が変わりました。

PRによって、これまでの何倍も旅やホテル、お出かけスポット、最新の商品を体験することができるようになり、世界が広がりました。憧れだったクルーズや空港のアンバサダーになれたり、今では海外のホテルや海外の旅行関係の企業からもPRの依頼をいただいたりしています！

PRでの報酬やインスタ講座の開講など、会社員以外の収入を得ることができています。**フルタイム会社員のままで、思わぬ形**で起業できました。

インスタグラムを通じて、まさに「女性が自分の力で自由になる方法」を手に入れることができました。そして今では、自分がその方法をお伝えして「自分の力で自由になる」女性を増やしています。

また、**アカデミーで一緒にインスタグラムを楽しむ仲間がたくさんできた**ことはかけがえのない財産です。一緒にPR旅をしたり、起業について相談したり、趣味や志が同じ素敵な方と出会うことができました。

中島侑子より

すごく戦略的にPR案件を取られている方です。例えば案件として請けたわけではないホテルの写真でも、ハイライトでホテルごとにまとめて「この人に依頼したらどのような投稿をしてくれるか」が想像できるようになっています。ハイライトはすぐに作れるので、PR案件を取ってみたいという方は、「自分が依頼されたらどのような投稿をするか」という視点で作ってみてください。

14 プロのカメラマンの写真や仲間のアカウントを見ながら写真の撮り方を工夫

峯村真貴
起業家
Instagram ID
@maki.minemura

Before

目的もわからず漫然とインスタグラムを運用

SNSに興味を持ちインスタグラムを開始。周りがやっていたというだけでスタートしましたが、どこに活かすのか目的もわからないまま、フォロワーを伸ばしていました。

9000フォロワーから伸び悩み、SNSを継続する意味がわからなくなっていました。

After

自身の講座を企画し2年で100名以上の受講者が

ビジネスに向かうかPRに向かうか、方向性が明確ではない状態で始めたインスタグラムでの発信でしたが、「伝わる話し方のコツ」をテーマにした自身の講座を企画し、コミュニティを作ることを決意。たった2年で、100名以上の受講生さんと出会うことができました。

まず手がけたのは、毎日投稿

テーマは悩みました。決めきれず、まずは毎日投稿を目指し、その日にあった身近なことを書くことにしました。一日に起こったことの中で、タイトルを決めて発信するように意識しました。

最初は、ビジネス、PRとどの方向性に向かうのか迷っていたため、自分自身の人柄が伝わることをイメージしながら投稿していました。

ターニングポイントは、フォロワー1万人達成

目標としていたフォロワー1万人を達成できてブランディングの基礎が整いました。開催する講座へも、インスタグラムで私の人柄を理解して入ってきてくださる方もいます。

また、**1年間インスタライブを毎日継続**していました。そのことが、お客様との出会いにも繋がりました。

最も力を入れたのは、写真

プロのカメラマンさんの写真を使ったり、仲間のアカウントを見ながら写真の撮り方、メッセージの書き方を工夫したりしたことです。

プロのカメラマンさんの写真では、**歩いているシーン、外を眺めているシーン、誰かと話しているシーンなど自然体の私を撮影**していただきました。

また、一画面で表示される写真の見え方にもこだわりました。

カメラ目線、目線を外したものなどをバランス良く配置するようにしました。カメラ目線だけだと、自己主張が強くなりすぎてしまうためです。

また、写真もそのままでは掲載せずに、編集を施しています。

私は、**アカウントを見た瞬間に明るいエネルギーを届けたい**と思っているため、明るい写真をイメージして編集、投稿しています。

一人の写真のときと、私の日常が伝わるように、講座の生徒さんや仲間と撮影した写真を、敢(あ)えて入れています。

自撮りでも、ある程度全身が写る撮影までできるようになりました。

三脚を使って、携帯カメラのタイマーをセット。距離をとって全身が入るよ

中島侑子より

プロの写真を使うようになってから、アップだけではない様々な角度の写真が並ぶようになりました。

女性はアップの写真が続くのを好まない傾向にあるので、三脚を活用したり人に撮ってもらったり同じような構図が続かない工夫が必要です。

うにポージングをして撮影。撮影時は少し恥ずかしいです。
投稿を見た方には、「これも自撮り?」と驚かれます(笑)。

ファンを増やすためにしたことは

私はフォロワー数1万人を目指していたので、多くのアカウントをフォローしました。また、素敵だなと思ったアカウントには大変でしたが個別で挨拶のDMなども送りました。

投稿する写真には、**日々の出来事に自分の想いを書く**ようにしています。その際は「今日は○○しました。」で終わらないように意識しています。また、その投稿内容に合った写真を使うようにしています。

15 普通の景色を「特別」にする写真で日常を輝かせる

SOLA
フォトグラファー

Instagram ID
@sola_pht

Before

自己流でインスタグラムを運用するも手ごたえなし

SNSに苦手意識がありました。しかし、仕事上の必要性を感じていたことや、写真コミュニケーションの媒体としてインスタの存在感が大きくなっているのは事実なので、アカウントをゼロから作りました。数ヶ月ほど自己流＆思いつきで投稿を続けてみたのですが、全く手応えがなく。写真自体はキレイなはずなのに、それだけではダメなのだと思い知りました。

After

仕事の依頼増だけでなく、新しい可能性と繋がれた

個人・企業問わず、撮影・執筆やPR案件の依頼も多く届くようになり、オンラインで写真講座を開いたときも、全国から集まってくださいました。インスタをやってなければ出会えなかったご縁がたくさん繋がりました。また、単に依頼が増えて嬉しいというより、わざわざDMをくださる方は値段や利便性で比較しているのでなく、私のことをある程度理解・共感してくれているのでやりやすいし、結果、いい仕事に繋がりやすいと感じます。そこが一番、理想が叶った点です。

まず手がけたのは、日常の写真の投稿

当初の目的は単純に、私の写真をいいなと思ってもらうこと、そして仕事を依頼してもらうこと、つまりは「集客」でした（正直、それ以上はまだよく見えていませんでした）。ただ、撮影はご紹介などで来てくださるクライアントさんだけでも手一杯ということもあり、インスタグラムではさほどビジネス感を出すことはしませんでした。かわりに、私生活や作品とまではいかないけどちょっと遊んだ写真などで楽しんでもらいつつ、名刺代わりに私のカラーや価値観を伝えられたらと思っていました。

工夫したのは自分なりのカジュアルな世界観

写真家として私が生み出す写真には、いくつかの種類があります。

①納得いくまで手をかけ作家として完成形を世に出す作品
②仕事の成果物としての作例
③日々気軽に撮っているスマホスナップ
④それぞれの間の位置付けのもの

最初はこれらを交ぜこぜで発信していたのですが、フィードがちぐはぐになってしまいました。

統一感は必要ですが、かといって①の渾身(こんしん)の作品を毎日発表していくのも無理があります。②の仕事の作例は広告の写真も多いのでパンフレット然としていて、我ながら面白味に欠けるなと感じました。

一方、③の個人のフォト日記は、そこに私ならではの写真遊びがあったり想いの発信があったりすれば、見る人をほっこりさせたり、発見・共感してもらったりできるかなと考えるようになりました。

試行錯誤しながら、頻度とパワーバランスを模索した結果、③をベースに私なりの世界観を加えた、カジュアルな今のトーンに落ち着きました。

ほとんどがスマホで撮ったお手軽写真ですが、スマホだけでこんなこともできるよ、という提案も時々盛り込むようにしていて好評です。そうしたオーディエンスの反応も含めて、方向性は微修正し続けています。

スマホカメラの進化は目覚ましいとはいえ、撮りっぱなしよりも、ほんのひと手間レタッチするだけで写真の見栄えはぐんと上がります。

また、**特別なスタジオセットがなくても、自宅の身近な場所でも、撮り方次**

中島侑子より

プロのカメラマンさんのアカウントによくある作り込まれた世界観ではなく、カジュアルさや遊び心、誰もが経験する日常の1コマが盛り込まれていて魅力的です。カメラ以外のツアーなども開催されているSOLAさんのような場合は、プロ感の中に親しみやすさがあると、「会いに行きたい」と思われます。

第で別世界を見せられるのが写真です。ノウハウアカウントではないので丁寧には説明していませんが、自分の投稿がそんなヒントとなればと思っています。

常に心がけていることは自分の眼を磨くこと

誰もが見ているような日常の視点の中で、「その光景をこう撮ったら楽しいね」という発見に繋がればいいな、というのは意識しています。ただし、「いい写真」にお手本や正解を求める人は多いですが、自分の感性をしっかり見つめてほしいから、最近はあまりテクニック的なことばかり言うのは避けています。磨くのは技術以前に自分の眼。世界の中から、自分が何を見出し、どのような光景として切り取るかが、その人の発信の核心ですから。「私の日常は普通だ」と退屈に思い、輝きを見出せていない人にこそ、カメラという窓を通じて、どうやったら輝くかを探してみてほしいです。

誰にでも「好き」があり、自分の感性が喜ぶポイントが世の中にはたくさん転がっているはず。それを見つけられる眼を磨けば、そこに映る「現実」も変わるという、すごい力を写真は持っています。

16 服の色を変えて未来を見せるブランディングに

井上美和
妊活・体質改善アドバイザー
Instagram ID
@miwainoue55

Before

食の講座を開きたいと思ったが反応はイマイチ

パン教室をしていましたが、もっと食について伝えたい、食の講座を作りたいと常々考えていました。それまではフェイスブックで発信していたのを写真で魅(み)せられるインスタグラムで発信するようになりましたが、350フォロワーから全く増えることもなく、投稿しても反応が感じられないままでした。

After

体質改善に発信をシフトし、インスタグラムから集客

食から体質改善へ発信をシフトしたことで、インスタグラムからほぼ100％集客ができるようになりました。

講師養成講座の中にSNS、インスタ活用講座を入れることができ、生徒さんの起業もサポートできる自信がつきました。

子どもがいるから、時間がないから、住む場所が変わったから、という言い訳をすることなく、世界中どこにいても活動できるようになりました。異国の地でも大好きな旅行を楽しみながら、思いきり好きなことができる毎日を送っています。

まず手がけたのは、想いを文字投稿に

私の食についての想いやメッセージを文字投稿にしました。ただお料理を作るだけではなく、食の選び方、どう時短で美味しく愛情たっぷりのご飯を作るのか、栄養バランスや栄養素のことも伝えられる、不調も改善していくということを強みにして伝えていきました。

発信を続けていて、**食から体質改善へ目的をシフトしたことでインスタグラムからほぼ100％集客ができるようになりました。**

私が手がけている講師養成講座の中にSNS、インスタ活用講座を入れることができ、生徒さんの起業もサポートできる自信がつきました。

様々なPR案件もいただけるようになり、ロンドンにいても日本のクライアントさんからの案件が舞い込んできています。

ターニングポイントは、子どもの顔出し

子どもの顔出しをするようになったことです。

自分も子どもも、最初は顔出しをしていませんでした。何となく怖かったの

と、大勢の方が見るＳＮＳで恥ずかしいと思っていました。しかし実際は、見る側は私が思うほど気にしていない。むしろ顔出しすることでオープンになれて、初対面の方でも娘たちのことが話題になり、会話も広がることが増えました。

工夫したことは、美しい写真や動画、そしてインスタライブ

写真や動画で魅せられるように工夫しています。

自分が足を運んで素晴らしいと思った景色、シンプルでわかりやすい動画レシピ、明るく彩りのあるお料理を撮影し、画像を作っています。

また、ずっと行ってこなかったインスタライブ配信をするようになりました。一人で活動をしていることもあり、何となく話しにくいなと思っていたのですが、コミュニティや仲間と繋がり、伝えたいという意欲が出てくると、自分の得意とする「話すこと」を出せる一番簡単ですぐにできる手段がライブであることを実感しました。

ライブ投稿をすることで、自分の印象をすぐに相手に伝えることができるようになり、より集客に活用しやすくなりました。

一番大きな変化は、服の色を変え明るい印象に

以前は黒やグレー、紺の洋服ばかり着ていましたが、それらの服をほぼ手放し、服の色を明るい色にしました。

インスタグラムを通じて自分をブランディングしていくうちに、「体質改善するると、こんな未来が待っているよ」というイメージを伝えたいと思うようになったからです。そのためにも、明るい印象を持たれるような服装にするようになりました。

それによって、癒（いや）される、柔らかい、優しそう、とよく言われるようになり、フォロワーさんや生徒さんとの距離が近くなったと感じました。

中島侑子より

東京からロンドンに移住された方です。ロンドンでもインスタのおかげで集客ができ、どこにいても働けています。パン教室から、体質改善にテーマをシフトしたのも良かったと思います。オンラインでできるテーマであれば、場所や時間の制約から解放されるので、テーマ選びも大切です。

17 ダンス、ライフスタイル、PRなどをバランスよく投稿

寺本睦美
ダンス講師・振付師
Instagram ID
@moomin.mamadancer

Before

ママになりダンスの活動をどうすべきか悩む

ダンサー、ダンスインストラクターとして長年活動していましたが、発信活動の目的を理解していませんでした。ママになり、この先どういう形でダンスの活動を続けていくか、悩んでいる時期でもありました。

ダンスイベントの企画や運営などをしていく中で、自分自身の集客力や影響力をもっともっと高められたらさらに楽しいイベントやレッスンが企画できたり、ママダンス業界を盛り上げたりすることができるのではないかと思い始め、生まれて初めて「自分のファンづくり」という部分を意識し始めていました。

After

大企業から仕事依頼、親子モデルにも

インスタグラムでダンスチームのメンバーの募集をすると、たくさんの応募が来るようになりました。また、ユニクロのイベントでの講師の仕事など、大きなお仕事がインスタグラムをきっかけに舞い込みはじめました。さらには、親子モデルを経験する機会もいただけるようになりました。

まず手がけたのは、親近感のあるママダンサーとしての投稿

最初にブランディングを考えました。ダンスの仕事にも繋げたいとは思っていましたが、バリバリのカッコいいダンサーアカウントではなく、親近感のあるママダンサーとして、普段のライフスタイルも投稿するようにしました。

途中で方向性に迷ったこともあり、試行錯誤の日々でした。しかし自分の思う通りに楽しむのが一番だと思い、子育て中のママたちの元気が出るようなアカウントを目指すようになりました。

ターニングポイントは、ダンス講師らしい投稿を諦めたとき

集客のためにはひとつのテーマに特化したアカウントの方がいいと言われることが多いですが、私の場合はそれだと自分自身が投稿を楽しめないという葛藤がありました。「ダンスの講師らしい投稿とはなんだろう?」と考えすぎて、投稿自体が気軽にできなくなっていた時期もありました。

しかし、考えすぎて投稿できなくなるよりは、完成形じゃなくても発信を続けることの方が大切なのでは？　と思い、**「何をどう投稿するか」よりも「誰**

に向けて投稿するか」を考えるようにしたら、届けたいことが自然と明確になり、無理なく投稿を続けられるようになりました。ノウハウを気にしすぎると、自分らしい投稿ができなくなると感じています。

工夫したことは、雑記型のスタイルにしたこと

ダンス、ライフスタイル、PRなどをバランスよく投稿するようにしました。ダンスのことだけを投稿すべきか迷いましたが、私の場合は繋がりたい相手が「子育て中のママ」なので、ダンス投稿やPR投稿の合間にライフスタイルを見せるような「雑記型」のスタイルを選びました。

ダンサーとしてだけでなく、ママでも好きなことをして楽しめるんだよ、という部分や、ダンスがきっかけで、ダンス以外の部分の人生も楽しくなるよ、という魅力を伝えたいという想いがあったためです。

その結果、**集客目的だけのアカウントではなく、人生を楽しむためのツールとして、私自身がインスタを心から楽しめるようになりました。**

壁と、その乗り越え方は、「誰かの役に立てる」ことへの自覚

実は侑子さんの講座を卒業後、自分のアカウントの方向性に迷っていた時期もありました。自分のインスタグラムをやる目的が明確ではなかったため、仕事の投稿とプライベートの投稿が交ざっていることにとても違和感があり、このままでいいのだろうかと悩んでいました。しかし、ある友達に「だからこそ伝わってくるあなたの魅力がある」と言われたことをきっかけに、「私の表現したいスタイルがきちんと届いているんだ！」と思えるようになりました。

基本に立ち返り、**私が好きなことで誰かの役に立てること。**そこにフォーカスできるようになった頃から、「インスタ、いつも見ています」と、連絡がたくさん来るようになりました。

ダンス、ライフスタイル、色々なことを投稿する雑記型のアカウントではありますが、ターゲットを明確にすることで「誰かの役に立てること！」をしっかり想像できるようになりました。そのことで、繋がりたい方と繋がれるようになり、お問い合わせがたくさん来るようになったのかなと思っています。

中島侑子より

お子さんもガンガンインスタに登場されて活躍されているアカウントです。コロナ禍でステイホームの頃、朝6時に3ヶ月、お子さんと一緒にインスタライブを続けられていました。

18 6ヶ月分180枚の写真を事前に用意し デザインと世界観を構築

ズッキー／藤田和樹
元会社員
Instagram ID
@zukki_wdh7

Before

インフルエンサーに憧れ独自運用するも頭打ち

場所に縛られず、旅をしながら仕事をしたい。30歳までに独立したい。そう夢見ながらも方法がわからず、何より、自分には独立するためのスキルが何もありませんでした。

学生時代からインスタグラムが好きで、インフルエンサーに憧れて独学で3500フォロワーまで伸ばしていたものの、頭打ち状態でした。

After

SNSコンサルタントとして25歳の若さで独立

自分の中でインフルエンサーの定義であったフォロワー1万人を6ヶ月で達成。ほどなく、IT企業のマーケティング部署からSNS運用の統括責任者として採用の声がかかり、キャリアアップに繋がりました。

その後、企業向けインスタグラム運用代行やSNSマーケティングコンサルタントとして25歳で独立。目標より大幅に早いタイミングで自由なノマドワーカーになれました。

まず手がけたのは、テーマを「旅行」に決めたこと

自分が好きな「旅行」をテーマに決めました。**「サラリーマンをしながらでも、海外旅行に行こうと思えば行ける!」という姿や選択肢を示したい**、そして投稿を見た人が旅気分を味わえるように、という方向性を決めました。

最も力を入れたのは、6ヶ月分の写真180枚を一気に用意したこと

アカウントのデザインにこだわりたかったので、**まず投稿6ヶ月分の写真180枚を一気に準備**しました。どの順番で投稿していくかを確定させてから臨みました。

180枚のストックを作成したときは、9枚1セットでカラーごとに作成していました。例えば、ブルーで1セット(9枚)、グリーンで1セット(9枚)、レッドで1セット(9枚)、イエローで1セット(9枚)というようなイメージです。

自分のアカウントに来ていただいてスクロールした際に綺麗に見える世界観を表現したかったからです。僕自身そのような統一された世界観に惹(ひ)かれて

フォローしたインフルエンサーの方も多かったので、僕も同じように世界観を意識してアカウントを作成しました。

コロナ前に頻繁に海外に行っていたので、そのときの写真のストック数千枚以上を準備していました。

こうすることで、やはり統一感があるデザインになっています。「アカウントの世界観が素敵でフォローさせていただきました」と連絡が来ることもありました。

今では現在の縦3列の世界観を「ぜひ、真似させてください」と言われることも多くなりました。連絡いただかなくてもぜひ、自由に真似していただけると嬉しいです。

実際に使った道具やアプリは……

今ではプロフィールグリッドのシミュレーションができるアプリもたくさんありますが、僕は、**iPhoneの写真フォルダの「新規アルバム」に「インスタグラム投稿用」というアルバムを作成**しました。そして、そこでタップしながら写真を動かして、自分のイメージする世界観になるように何度も写真を

中島侑子より

よく聞かれることに「昔の写真を使っていいんですか？」というものがあります。いつも「全く問題ありません」と答えています。私も、10年前の世界一周旅行の写真を過去のものと明記して使うこともあります。今投稿できる写真がないと悩む人は、過去のスマホからいい写真を引っ張り出して載せるというのも手です。ズッキーさんのようにタイムラインを集合体として捉えると、世界観が統一できます。

移動させて順番を変更させながら作成していました。

現在は、9枚1セットではなく、「まとめ情報」「リール」「自由」の3つに分けて縦3列での世界観で投稿しています。今でも、投稿前にiPhoneの写真フォルダを使用してプロフィールグリッドのシミュレーションをしてから投稿しています。

ファンを増やすためにしたことは、ひたすら行動

何事も継続することが大事ですが、**SNSは継続が結果にダイレクトに繋がります。** 侑子さんの講座を受けている間は毎日、投稿や分析、考察、報告など一日も欠かさずに行いました。仮説・分析・検証を繰り返し行い、いかに最短でフォロワー数を伸ばすのかを考え、競合アカウントを毎日リサーチして、ベンチマークアカウントなどを研究していました。とにかくひたすら行動する！

その結果、講座期間中にフォロワー1万人達成＋PR案件もたくさんいただくことができました。

また、**フォロワーの満足度を上げること**を意識していました。コメントやDMの返信はなるべく倍以上の文字数で返信していました。

19 一目惚(ぼ)れされる世界観作りにファンが殺到

松本あゆこ
経営者

Instagram ID
@my_stylebook_jp

Before

借金200万円のどん底生活

起業をしていましたが、なかなか思うような結果に繋がらない状態でした。

学びの投資をし続けて、持っていたカードも全て上限まで使ってしまい、借金だらけの状態でした。生きていることさえ辛(つら)いと感じるほど、人生の崖っぷちでした。

After

年商6000万円の社長に

どこを改善したらいいのか自分の現状を分析した結果、「知ってもらう」という最初の段階ができていないことがわかりました。そこでインスタを活用して興味を持ってもらい、認知を広げることを第一に発信を始めました。

その結果、自分の発信内容に自信が持てるようになりました。また、自分の仕事は人のお役に立てるんだという実感がわいてきました。それまで集客に困っていた講座も、ビックリするほどのお申し込みに繋がりました。

まず手がけたのは、インスタのノウハウ発信

当時はまだ少なかったインスタの投稿に使えるノウハウを発信していきました。**初心者の方にも、すぐに取り入れられることを意識**しました。

3ステップで伝えて、内容を簡潔にまとめること、必要以上に時間を奪わないことと、パッと見て視覚情報だけでも理解できる長さで投稿をしていました。

今は長文の投稿もトレンドなので、時流に合わせて投稿を変えていくことも大切だと思っています。

最も力を入れたのは、思わずスワイプしたくなるような見せ方

1枚で投稿を終えるのではなく、**思わずスワイプしたくなるようなタイトルや内容、お役に立てるもの、気になると思わせる言葉を意識**しました。

特に意識したのは、タイトルの見せ方です。

「反応が変わるプロフィールの書き方」「心を動かす伝え方のポイント」「反応が10倍UPする伝え方のマジック」など、「それ知りたい!!」と感じていただけるタイトルを1枚目に設置するようにしました。それをスワイプすると、3

中島侑子より

あゆこさんはデザイナーさんなので、圧倒的にお洒落。お洒落さは知識と経験なので、諦めずに積み上げていくといつかは上達します。私も4年前にインスタを始めた頃に比べると、圧倒的に写真がお洒落になっていますから。

つのポイントで簡潔に伝えている、という構成にしています。今からすぐに取り入れられる、簡単でわかりやすい内容を意識しました。

逆に**スワイプされないタイトルは、1枚目で全てを言ってしまっている投稿**です。例えば、「反応を起こすには印象に残る言葉と数字。そして疑問系で投げかけることがポイント」と、余白を与えずに答えを全部言ってしまう投稿です。そうなると、次のページをめくる必要がなくなってしまいます。

せっかくの投稿なのに滞在時間も短くなってしまい、ファンになる前に通り過ぎていってしまう方が多くなってしまいます。

ファンを増やすためにしたことは、ターゲットを明確に

どんな人に伝えたいかを、先に設定しました。そして、「その人たちが何に困っていて、何を知りたいか」を考えて内容を決めていくと、自ずと気になる投稿ができるようになりました。

もしも、何を投稿したらいいかわからない場合は、**自分が想定しているターゲットと同じ層を対象にしている雑誌を参考**にすると、ヒントがたくさん見つかると思います。

中島侑子より

1枚目に読めない量の文字をたくさん書く人がいるんですが、そういう投稿はまずスワイプされません。簡潔でキャッチーな言葉を選ぶのが重要です。

どういうものを書いたらいいかわからない人は、ランキング上位の書籍やニュースサイトやアメーバトピックスで思わずクリックしたくなるタイトルを収集すると、参考になります。

どんな特集が組まれているのか、どんなキャッチコピーが書かれているのかを参考にして、自分の仕事に置き換えてみる。すると、どんな切り口でどんな内容にしたらいいのか、アイデアがどんどん湧いてきます。

工夫したことは、デザインで世界観を統一

世界観の統一です。文字のサイズや色の濃淡でメリハリをつける投稿をすると、目に留めてもらいやすくなります。使う色や文字の種類を統一する、使う写真のテイストを統一することで、自分だけの世界観を演出できるでしょう。

統一感のある投稿をしていくと固定ファンが増え、イベントや講座を開催したときにお申し込みに繋がりやすくなります。

逆に、使うフォントの種類がバラバラだったり、写真やイラストの色やテイストが違ったりしてしまうと、散らかった印象になってしまいます。9投稿や12投稿ごとに、ブロックでテイストを切り替えることはありますが、毎回の投稿でテイストが違ってしまうと、届けたい人に届かない状態になってしまいます。テイストを揃(そろ)えることを意識して投稿してみると、いつもの投稿もかなり違って見えるはずです。

20 そのときの目的に合わせて投稿内容を変え自分を表現していく

武田るな
魅力開花プロデューサー
Instagram ID
@runa__takeda

Before

出産目前で将来への不安がつきまとっていた

出産を目前に控え、これまで通りの行動ができないと思ったときに、漠然とした未来への不安を感じました。そこで産休に入る前に、新しいことを始めたいと思ったものの、何を始めていいかわからずにいました。

After

元CAママインフルエンサー&読者モデル

- 読者モデルになる
- ミセスコンテストで賞をとる
- ミセスコンテストの講師、審査員になる
- インスタグラム経由で講座の集客をする
- 新しい仕事を獲得する
- 家族に喜んでもらってみんなでhappyになる

これらが全て叶いました。

発信を続けていくうちに、夢は夢で終わらない、行動すれば手に入るものなのだと感じました。自分を信じさせてくれて、新しい世界を見せてくれたインスタグラムに感謝です。

まず手がけたのは、ゴールの設定

最初に、インスタグラムを運用する目的を考えました。産休に入るので集客はせず、ママインフルエンサーを目指すことに。

インスタグラムは結果が出やすいので、行動が続かないと感じている人も続けやすいです。

自分から積極的にフォロワーさんや、それ以外の方にコンタクトをとると、フォロワー数やいいね数などが目に見えて増加するようになり、行動が結果に比例しました。

続けるためにやったことは、数字をモチベーションに

行動した数がインプレッションや、フォロワーの数字として結果に出るので、やりがいをすぐに感じることができ、それによって続けるモチベーションが生まれました。

続けるのが苦手な私でも、4ヶ月でフォロワー1万人に到達しました。誰かに見てもらえないとやる気が起きず、継続することができない私の性格に、イ

中島侑子より

「目的から逆算して投稿内容を考えましょう」とよくお伝えするのですが、実際にできている人はとても少ないです。るなさんはその数少ない一人。

ンスタの仕組みはとても合っていたと思います。

さらにインスタを始めてから、1ヶ月も経たないときに、企業様からPR案件をいただいたことで、「行動すれば見つけてもらえる」ということに喜びを感じ、力が湧いて、続ける原動力となりました。

最も力を入れたのは、目的に合わせて発信を変える

そのときの目的に合わせて、発信を変えたことです。

例えば、企業様のマナー研修のご依頼がある際は、研修でお伝えするようなマナーのまとめを記事にした投稿にすることで、「こういったこともできます！」と、具体的に伝えることができます。

読者モデルに応募する際は、質問をされやすいような仕事やファッションの投稿を多めにしました。ショッピング同行中の写真を載せることで、トレンドを意識していることをアピールできますし、ショップへ行って、最新の情報を知るようにしていると暗に伝えることができます。

また、お客様とファッションのカウンセリングをしている投稿では、ファッションを選ぶ上で大切なことやポイントなどを質問されても答えることができ

る人間だと伝えることができます。

ファッションの着画を載せることで、読者モデルとしてどんな記事を書くことができるか、相手にイメージをしてもらいやすくなります。

このように、**今どのような人にどのような自分を知ってほしいかを考えながら、投稿する内容を都度変えていくようにしました。**

自己PRや面接は、コミュニケーションが一番重要だと思っています。選ばれるには、面接官との会話を大切にしなければなりません。

質問に対して、的確に自分の考えや、大切にしていることを伝えることができれば、一緒に仕事がしたいと思ってもらえます。

SNSだけでは相手に全て伝えることは難しいので、一度のチャンスで相手に想いを伝えるために、SNSの投稿で準備をしておく必要があると思います。

中島侑子より

複数のPR案件が来たとき、発信テーマがバラバラなものを違和感なく一体感あるように見せるのは難しいです。しかしるなさんは写真の色味、明度、文字のフォント、背景の色などを統一することによって、綺麗にまとめられています。

21 めくる投稿は情報誌のように お役立ち情報をお渡しし リールでは楽しませることを意識

こうだまみ

日本セルコントロール協会マスター講師

Instagram ID

@kodamami_bihada

Before

インスタグラムが苦手なSNS集客の「プロ」

女性起業家の方にSNS集客を教えるビジネス塾を主宰していました。しかしインスタグラムが苦手で投稿が続かず「これからも集客の講師をするなら、できないとは言えない。なんとかしないと」と思っていました。インスタから集客する方法を伝えられる人になる、というのが目標でした。

After

インスタが集客ツールになり、人に教えられるように

三日坊主だったインスタグラムが集客ツールに変わり、人に教えられるまでになりました。今は集客から健康美容に発信を変えていますが、なにがあってもアカウントを伸ばし続ける自信を持てるようになりました。

また、「お母さんだから」という理由で言い訳をすることがなくなりました。子育ても仕事も、やりたいこと全て諦めない！　と覚悟を決めることができました。

まず手がけたのは、自分が知りたかったことを発信

元々SNS集客の講師をしていました。起業する人が増える中、とても必要とされる仕事だと感じており、特に私はママなので時間のないママ起業家向けの発信をしようと最初から決めていました。まずは自分自身が「もっと早く知りたかった！」と思うことを発信してみて、反応を見ながら精度を高めていきました。

また、**とにかくPDCAを回しました。まずは投稿、そして反応を見て検証。また実践。**この繰り返しです。そしてライバルの研究は欠かしませんでした。

ターニングポイントは、リール投稿で1万フォロワー達成したとき

リールの投稿を始めて1ヶ月くらいで1万フォロワーを達成し、そのあたりからメルマガ登録が激増して集客が安定し、インスタから集客する方法をつかめました。SNS集客講師として、これからはインスタ集客も伝えることができると確信できるようになりました。

中島侑子より

リールに力を入れていたので、「リールの講座をしてみたら？」と言ったところ、すぐに講座を開かれていました。スピード感がすごいです。

発信する中で大事にしていることは、「楽しませる」を意識

めくる投稿は情報誌のように役立つ情報をお渡しするよう意識し、リールではお役立ち情報やあるあるネタに加えて「楽しませる」ことを意識しました。

楽しませる投稿を交ぜる理由は、見ている方の目的の違いです。インスタは「役立つ情報を見つけよう」と思っている方は少なく、娯楽のためになんとなく見ている方が多いです。そのため、楽しませることで目を留めていただきやすいと考えました。私自身がそうなので。

ハードルは高いかもしれませんが、自分が「面白い！」と感じた方のものを真似することから始めたら、どんどん自分のキャラクターを出せるようになりました。

工夫したことは、デザインが上手な方の投稿を参考に

デザインはセンスがないので、上手な方をモデリングしていました。

まずは自分のビジネスのターゲットを明確にし（40代女性、小学5年生の息子と小2の娘のお母さんでフルタイムワーママなど）、同じような層をター

ゲットにしている方でフォロワーが3000以上いて、自分自身が「いいなぁ」と思えて、どうやってその画像を作るか想像できる、参考となるアカウントを見つけます（逆に、どうやって作るか想像もできないような、作るのが難しそうな画像やリールは諦めます）。

まずは全く同じように作ってみて、そこから色を変えたり、文字の配置を変えたり、デザインに変化をつけるなどして「パクリ」にならないようにアレンジします。

最初は全く同じようにしかできませんが、その方が使っている色、文字の配置、字体、デザインひとつひとつの理由を考えます。横長の画像ならZ形に目線が動く、縦長の画像ならN形に目線が動く、ママ世代はパステルカラーなど優しい色が好き、文字に変化をつけて目立つようにしている、など。

デザインの理由を考えられるようになると、見ていただきやすい画像をだんだんと作れるようになりました。

中島侑子より

上手な方をモデリングする場合、あまりにも高度なテクニックを使われている方を目指すと挫折しやすいです。できる範囲で大丈夫。

22 発信する内容は ありのままの私が3～4割 ちょっとした憧れが6～7割

大澤 淳

元会社員

Instagram ID

@junn_waamama_days

Before

自分らしく輝く働き方に憧れるバリキャリ会社員

365日24時間お客様に対応する不動産営業マンでした。月収は良い時は100万円を超えるも、土日関係なく常に数字と時間に追われて精神もイライラ、キリキリ。有名企業を辞めてインスタグラマーになり、無料でコスメをもらったりイベントに招待されて毎日を楽しむ知人を見て、羨ましい気持ちでずっとインスタを眺めていました。独学でやってみても2000フォロワーまでしか伸びず、欲しい未来が手に入らなくて、もやもや……。

↓

After

月商７桁に！　自由な働き方を手に入れたインスタ講師

１ヶ月半でフォロワー１万人を達成し、欲しかった無料コスメやグルメ、イベント招待などのPR案件は初月から30件以上獲得！　そこから初めての集客で約200万円の売り上げを達成しました。おかげでインスタ講師として活動を始め、今では自分の好きなことや経験から、私にしか伝えられないことを発信して、共感してくれた仲間と一緒に講座を運営しています。今は365日24時間自分の時間になりました。

まず手がけたのは、ママの日常を発信

まず、ママの日常を発信することに決めました。ラグジュアリーなものやハイブランドが昔から好きだったので日常的なものの中に、**ちょっと憧れるような世界観を意識**しました。

人間味やありのままを出す。ちょっとした憧れを出すことで一歩踏み出す人の後押しができています。自分の弱みやコンプレックスなどをそのまま伝える。それを隠して強がったり、地に足がつかないような発言をしたりすると、ありのままから遠ざかります。人は完璧じゃないところで愛されるからです。「自分とは違う」と思われすぎると、「こうなりたい！」と思ってもらえなくなるので、「ほんのちょっと」を意識しています。この匙加減（さじかげん）は、ありのままが3〜4割、自分のすごいところや人に自慢できるものが6〜7割。どちらか一方だと、「こうなりたい」から行動してくれる人がいなくなります。

この2つがあって、「真似してみよう！」「こうなりたい！」「私にもできるかも？」の一歩を踏み出してもらいやすくなる気がしています。

過去の自分を思い出して、どう発信して、どう写真で表現したら、「この人

から学びたい」と思ってもらえるのか、いつも客観的に自分のことを見ています。「私もこうなりたいけれど、自信がなくてできない」と足踏みしているような方に「できるから」と、文章でも投稿でもライブでも、様々な表現で刷り込んでいくことが後押しになっています。

実際に自分の理想を叶えている人として、ビジュアライズして見せることによって、その方の「叶うかも?」という気持ちの臨場感が上がります。ありのままの心の葛藤と、そこから手に入れたちょっとした憧れを発信することが、後押しになっていると思います。

ターニングポイントは、売上が立てられたこと

フォロワーが1万人にいって、集客を自力で始めて、一人でできるようになったこと。そこで売上も立てられたこと。

はじめは「なんのため」というより、私は集客に向いていると思いスタートダッシュで始めてみたという方が大きいです。

丸10年会社員をしていたので、そもそも集客という言葉を知らなかったのですが、個人で仕事をされている方は集客してマネタイズをされているというこ

とを知りました。

もともと投資用不動産（仕組みを売る無形資産）の営業をしていたため、「自分は向いている！」と直感が働きました。ちょうど私のインスタグラムが急激に伸びたのもあり、これを教えてほしい人がたくさんいるに違いないと思い、まずインスタグラムでセミナーを開催することにしました。そこで初めて集客をした結果、15名の方にお集まりいただき、自分のインスタ講座の集客に繋げることに成功しました。

工夫したことは、素直に協力を仰いだこと

工夫したのは、侑子さんをはじめ、仲間たちに素直に協力を仰いだことです。そして、**絶対にやると腹を決めたこと。**

どうしたら講座の申し込みが入るのかを自分で考えて、動いていただけるようなストーリーズを随時アップしたこと。常に考え、行動を繰り返したことです。

中島侑子より

淳さんは、圧倒的な行動力とガッツがずば抜けていました。元々会社員をされていて、その関係で顔出しをされていませんでした。わからないことは質問する、仲間に協力を仰ぐ、アドバイスをすぐに行動に移す。それで1ヶ月で1万フォロワーを達成しました。シンプルですが、成功するためには何よりも大事なことです。

23 いいねの数やフォロワー数を気にする心を捨てると本当に届けたい人に届く

プラズマヒーラー桜子
スピリチュアルカウンセラー
Instagram ID
@plasma8sakurako

Before

ヒーラー活動開始から3年、マンネリに陥っていた

以前、航空業界や大手企業の受付、観光親善大使や神社福娘など、常に表に出て自分が輝きながら人のサポートをすることで自他共への輝きに繋げられていました。しかし、専門性を持って好きなときに好きな場所で身一つでできることを仕事にしたいと思い、環境を変えることにしました。ヒーラーとしての活動を本格的に開始してから3年以上が経過、マンネリに陥ったので自分の殻をまた破りたい気持ちになっていました。

After

アカウント運用当初の10倍以上の反応をいただくように

開始1ヶ月後頃から各投稿に継続して1000～1500以上のいいねをいただくようになり、アカウント運用当初の10倍以上のいいね数を投稿後数時間でいただけるようになりました。

講座は公募前から満員御礼となり、自らプロデュースしたマスクアクセサリーは百貨店からの出店依頼も来るほど。経験を活かした医学会アナウンスや企業受付のヘルプも増え、自然や人に愛を感じるPR案件やプレゼントの当選も叶っています。

まず手がけたのは、顔出しして自己開示

過去に所属していた電話占いサイトでは仮装をしてミステリアスな演出をしていたため、どこか秘めた自分でいることが習慣づいていました。それが自分の「普通」になってしまっていました。

しかし幼少期からのクラシックバレエをはじめ、中学・高校時代の陸上部短距離競技、USJアトラクションショーのアルバイト、奈良県観光親善大使、神社福娘、航空業界や企業受付に至るまで、私はずっと自分を表現したり姿を見せながらサポートをしたりする立場にいました。それにもかかわらず、電話セッション、インスタグラムでも自分の姿をあまり載せないことに違和感がありました。無意識に、自分を閉ざし表現をすることにも蓋をしていたのです。

そこで、**顔出しをしてどんどん投稿し、自己開示すること**にしました。

自分の発信内容がどのように受け止められるか自由な分、自分が何を発信するかも自由です。**最初から自分の想いを完璧に表現しようとはせず**に、発信してみてしっくりこない部分が出てきたら別の方向に修正する。自分の人生の舵取りをしながら、新たな自分発見や成長記録にもなればいいな、というくらい

の気持ちを心がけました。それは現在進行形で同じスタンスです。

最も力を入れたのは、フォロワー層へのリサーチ

自分の今のフォロワー層に何が響き、何を楽しんでくれているのか。いいねの数を見ながら検証し実行しました。一方で、自分が発信したい軸からブレないようにも心がけ、バランスを大切にしました。**自分の想いや熱量を加え活かした発信こそ、本当に自分が伝えたい相手を引き寄せ伝えることができる**と思ったからです。

ターニングポイントは数を気にしすぎなくなったこと

いいねの数やフォロワー数を気にしすぎなくなったことで、以前よりもフォロワーさんからのストーリーズやDMを通した反響も多くなり、自分らしさが出せるようになりました。周囲からの感謝のお声が増えたことで、更新がますます楽しくなりました。

インサイトを確認するのは大事ですが、気にしすぎると投稿に迷いが出てきたり、受け身な姿勢になったりしてしまいます。自分が何を伝えたいかが日々

明確になると、投稿自体にパワフルなエネルギーが乗るようになります。

不特定多数の方に受けるか受けないかを考えるよりも「この投稿が男女問わず必要としている方の目に留まりますように」「自分の殻を破ったり、本来の自分を思い出して取り戻すなど、自分軸の確立や強化に繋がりますように」「経営者の方々をはじめ、リーダー層の方の癒しや幸福感UPの気づきに繋がりますように」と意図したことで、特にそのような方からの反応が増え、私が繋がりたい方々とお相手の周波数が引き合い、共鳴したのだと感じています。

投稿写真や文章は目に見えるものですが、見える見えないにかかわらず全てに波動があります。いいねの数やフォロワー数を気にしながら動くことは執着となり、肩に力が入ってしまいます。それをうまく手放し、**好きなことや興味があることを優先した発信や言葉にこそエネルギーを乗せられる。**そうすることで、本当に届けたい相手に届かせることができるようになりました。

中島侑子より

桜子さんはフォロワー数に比べて1000人1500人とすごい数の人に「いいね」の反応をされています。「人を応援したい」という気持ちがとても強い方で、私だけではなくアカデミーの同期やフォロワーさんなど、たくさんの人たちの応援をされています。そうやって応援してきたことが、回り回ってチャンスになって戻ってくることもあります。こうやって、いい循環を作り出されているのかもしれません。

24 反応が得られる投稿には「共感」という2文字が欠かせない

上本ミナ
螺鈿(らでん)アートブランドオーナー
Instagram ID
@print.creator

Before

独学で5000フォロワーまで増やすも伸び悩む

自身のビジネスの中でインスタグラムを活用したいと思い、自分なりに情報を得ながら運用していました。しかし続かない、反応がイマイチで、これで合っているのか不安でした。

なんとか5000フォロワーまでは辿(たど)り着いたものの、集客やファンメイキング、マネタイズなどで納得いく結果にはなっていませんでした。

After

インスタライブ販売に挑戦し2時間で売上60万円達成

フォロワーは2万人に増え、自分のビジネスである「螺鈿アート」を応援してくれるファンが少しずつ増えていったことで、自信が持てるようになりました。

さらに、インスタライブ販売に挑戦してみました。結果は2時間のライブで売上60万円。クラウドファンディングでは6分で目標を達成しました。

まず手がけたのは、「螺鈿アート」の投稿

ブランドが「螺鈿アート」という独自技術を使ったアイテムの専門店だったので、投稿写真は商品である「螺鈿アート」一択でした。その中で、投稿の内容をどういったものにしていくかは、試行錯誤をして決めていきました。

ターニングポイントは、インスタライブ販売

コロナ禍で全ての対面イベントが中止となり、お客様と接する機会がオンラインしかありませんでした。そういった中で、いつも告知もせずこっそりやっていたインスタライブで販売ができないかと考え、**初めて告知をしてインスタライブ**をしてみました。そのときの常時視聴者は50人弱。告知なしでこっそりやっていたときは10人足らずでしたが、**「告知をするだけでこんなに集まるのか！」**と手応えを感じ、インスタライブ販売に挑戦してみました。結果は2時間のライブで売上60万円。そこから、クラウドファンディングや新作発売の際は、必ずインスタライブを行っています。クラウドファンディングでは6分で目標を達成。新作発売では毎回しっかりと売上を立てることができています。

また、私自身が顔を出し、様々なお話をさせていただくことで、「ファン」と呼べるお客様が付いてきてくださるようになりました。

インスタライブに勇気を出して取り組んでみたことで、投稿やストーリーズだけでは得られなかった多くのことが得られました。

インスタライブについては、まだまだ発展途上ですが、私なりに意識していることは**「関係性を築く」**ことです。関係性も築かずにインスタライブでいきなり販売をしようとしても、おそらく売ることは難しいと思います。なので、日ごろの投稿、ストーリーズ等でどれだけコミュニケーションを取っているか、そのために自分の時間を使うことができるかが一番の要です。

常に心がけていることは、「共感」

最初は、商品説明のような投稿が多かったです。その後、もっと反応が得られる投稿を模索していった結果、**最終的に反応が得られる投稿の根底には「共感」という2文字が欠かせない**と気づきました。

「共感」をさらに細かく分類してみると**「同意」「驚き」「感動」「気づき・発見」**のどれかにあてはまります。

インスタは写真を共有して繋がるSNSです。なので、写真に「共感」をもらうというのは大前提のお話となりますが、写真から得られる共感は「驚き」「感動」の2つだと思います（最近はリール等の動画をレコメンドするアルゴリズムになっているので、「気づき・発見」というのも含まれてきていますが……）。

「共感」にフォーカスした場合、「同意」「気づき・発見」というのはファンを作りやすい共感要素だと思っています。しかし、写真だけから「同意」「気づき・発見」というのは生み出しにくい共感です。

そこで、やってみたことは、「思考」を伝えていく投稿の内容（キャプション）です。ブランドの考え方、私自身の考え方。これらが全てブランドの製品や運営に反映されているので、その考え方を共有することを始めました。

考え方を伝えていくと「わかる！」「なるほど〜」「そんな考え方もあるんだ」「ちょっと気持ちが楽になったかも」こんな反応が出てきました。これらは「同意」と「気づき・発見」です。写真だけでは得られない共感が相乗効果をもたらしたと思っています。

中島侑子より

フィード投稿では商品写真、キャプションやストーリーズで共感や憧れを呼ぶ投稿をするといった形で、上手に使い分けをされています。また、インスタライブで限定のものを販売することにより、買えた人には特別感を、買えなかった人には「私も欲しかった」「いいな」といった気持ちになるような工夫も。ファンコミュニティを作り、結果的に濃いファンを生むことに成功しています。

25 苦手だった話すこととコンプレックスだった自分の声を、この機会に克服しようと決意!!

蠣崎 希(かきざき)
数秘コンサルタント
Instagram ID
@nozomikakizaki_9muse

Before

婚約破棄とコロナ禍で人生最大の危機

キラキラ起業ブームに憧れ起業し4年目を迎えた頃、人生最大の危機が起こりました。それが婚約破棄とコロナ禍でした。

婚約破棄で完全に心が折れてしまい自分で稼ぐ力を失っていた私は、アルバイトをし始めるも、コロナの影響で店が閉店してしまいます。もう本当に自分でやるしか道がなくなり、「とにかく稼ぐ」しかありませんでした。

無名の自分がどうやって稼げるの?　と不安がいっぱいでした。

After

独自メソッドを生み出しオンラインサロン主宰も

侑子さんの講座を受けながら、「Muse数秘」というオリジナルメソッドを生み出しました。これは数秘術で自分の使命を知り、価値観を大切にしたビジネス設計や発信の仕方などをお伝えするものです。コンプレックスだらけだった私が、フォロワー1万人を達成。さらにはオンラインサロンを主宰する機会も得ることができました。

最も力を入れたのは、毎日40秒の開運メッセージ動画配信

最初は文字投稿のみでしたが、最も苦手だった話すこと、コンプレックスだった自分の声をこの機会に克服しようと決意しました。**同じように数秘術について発信している人たちと差別化するために、毎日40秒開運メッセージの動画配信**をして、フォロワーさんに有益な情報をお届けすることで、ファンメイキングを狙いました。たった40秒の動画なのに、最初は一本の動画を撮影するのに4時間ほど（！）かかることもありました。

そこまでしてでも動画にこだわったのは、**苦手やコンプレックスに挑むことこそが『選ばれる』最大の武器**と感じたからです。

私のように数秘や占いのメソッドの発信をしている人がたくさんいる中で、選ばれていくためにはどうしたらいいのかを考えました。フォロワーさんが数秘やマインドの情報を知りたいのはもちろんですが、苦手やコンプレックスを乗り越えて発信しているという私のストーリーがフォロワーさんに親近感や勇気を与えると信じて、不器用な自分すらも全部出そうと腹を括りました。

よく、完璧に準備してからやる！　と完璧さを求めてなかなか一歩を踏み出

中島侑子より

元々しゃべることが苦手でしたが、苦手なことを克服する過程は、共感や応援に繋がります。コンプレックスを開示し、それを乗り越える姿を見せると、ファン化を生みます。大事なことは、「過程」を見せること。「40秒の動画に4時間かかる」ことを開示するのも、立派なブランディングなのです。

せない方や、時間をかけすぎてしまう方も見受けられますが、とにかく早く動くこと。完璧さを捨てること。早く動いて、早く失敗して、早くフィードバックを得ること。このサイクルを回すことのみを徹底しています。

準備に一生かけている人に本番は一生やってこない！　このマインド一本で、「苦手や困難だからこそ、誰かの力になっている！」と信じきって発信をしていました。

トラブルの乗り越え方は、プラス思考

動画をアップした後、アンチからのコメントが入って涙する機会もありました。しかし侑子さんに「ブルーオーシャンを狙う」というアドバイスを受けたので、ただただ信じて前向きに取り組みました。

もちろんアンチコメントを見てしまうと、どうしても気持ちは落ち込みます。でもそこは「影響力が上がってきた証拠！」とプラス思考に転じるようにしました。実際、愛の反対は無関心ですし、「コメントを入れる時間があるだけ私に愛を向けているんだ！」と、かなりポジティブに考えるようにしていました。

万人受けの発信は意味がないのと同じ。エッジの効いた自分らしい発信で、一人の人の心に刺さり行動を促せることを追求したので、アンチコメントに恐れる自分を捨てました。

工夫したことは、ためになる内容を常に意識

工夫したことは、**投稿では価値提供に徹底**したことです。**自分が書きたいことより、フォロワーさんのためになることを意識**して発信しました。

私の場合は講座への集客がゴールでした。そのため、選ばれるための理由が大事です。なので、投稿では数秘のプロとしての発信で権威性ある発信を意識していました。常にフォロワーさんが何を求めているかを考えながら、発信をコントロールしました。

それだけだと堅苦しい人になってしまうので、ストーリーズではライフスタイルやおっちょこちょいな出来事などの日常を意識して発信していました。

どちらかひとつではなく権威性と親しみやすさをどちらも魅せていくことができるのがインスタグラムの魅力のひとつだと感じています。

26 5万フォロワー超え！130万回再生を超えるリール動画が大人気

張 麗華
ボディクリエイター
Instagram ID
@reika1205

Before

試行錯誤するもフォロワーが伸び悩む

　インスタグラムは自分なりに頑張って投稿していましたが、なかなか思う成果が得られず、出会いたいお客様にも出会えませんでした。もっとたくさんの方のカラダのお悩みを解消したいと感じていました。

After

フォロワー5.1万の人気ボディクリエイターに

　フォロワーは3500から5.1万に。夢だったウェアのアンバサダーになることができ、雑誌「anan」の記事や企業からの動画作成依頼など、今まで経験したことがないようなお仕事をいただけるようになりました。

　1万フォロワーを過ぎてからはアフィリエイト案件もたくさんいただき、現在では単価が数万円の案件もたくさんいただいています。インスタグラムは夢を見ることができる世界だと感じています！

　家庭も大切にしつつ、仕事も順調に回していけるようになり、とても幸せで充実した生き方ができるようになりました。

まず手がけたのは、「誰に向けて発信するのか？」

私の本業はボディメイクで、インスタグラムでたくさんのお客様と出会いたいと思っていました。アカウントの方向性を考えたときに、ブランディングや自分の強み、差別化などはあまり考えず「誰をどんな未来に連れて行くのか？」を考えるようにしました。

「誰に向けて発信するのか？」

「どんな人の悩みを解決できるのか？」

例えば、40代になり太ってしまい、気持ちも落ち込みやすくなってしまった人。アクティブに軽やかになりたいと思っている人。このような方が、インスタグラムでアクティブに動いて楽しそうに運動する私の姿を見て「自分もこうなりたい」と自然と思ってくれるような、そんなアカウントを作ろうと思いました。

ファンを増やすためにしたことは、楽しい動画を上げたこと

「フォロワーを増やすためには、自分からアカウントをフォローしていく」と

いうのがインスタグラムの定石ですが、私はほとんどしませんでした。

でもリール動画で見せる私の姿に、「楽しそう！」「これなら自分でもできるかも？」と思っていただいたのでしょう。私が生き生きと人生を楽しんでいる姿を見て、たくさんの方がシェアしてくださったり、リミックスしてくださったりして、自然と拡散していきました。

最も力を入れたのは、動画で「驚かせること」

エクササイズとリール動画は相性が良く、再生回数が130万回を超える動画もあります。

リール動画は最後まで見ていただけるようにほとんどの動画を15秒以内にまとめています。ショート動画を流して見ている視聴者をハッとさせるには、普通の動画では無理だと思うんです。インスタには3300万人のユーザーがいるわけですから。

私は、リール動画の秘訣（ひけつ）は「驚かせること」だと思っています。

「なんかすごい！」「もう一度見たい！」「真似してみたい！」「わかりやすい！」「この後どうなるんだろう」……などなど。

中島侑子より

自己開示されてからリールを楽しく投稿されるようになり、「麗華さんみたいになりたい」という方が増えました。惜しみなくエクササイズ動画を上げ続ける価値提供により、信頼とファン化が進んだ結果です。

もう一度見たいと思ってもらえたら保存に繋がるので、リーチが上がり拡散され、再生回数が伸びていきます。

常に心がけていることは、第三者の目線で自分の強みを探す

自分らしさを表現しつつ、オンリーワンにこだわっています。
自分目線ではなく、第三者の目線で考えていくことがポイントです。
人から褒めてもらえるところはどこだろう?
みんなは何が見たいのかな?
ぜひ、自分で考えてみてください。

中島侑子より

何度も繰り返し見るエクササイズ動画はリールの再生回数も回りますし、保存もされやすいです。滞在時間が長くなるとインスタのアカウントが強くなり、発見欄に出てきやすくなります。
料理、メイク、髪型など、何度も繰り返し見て真似するタイプの動画は、リールと相性が抜群。思い当たるジャンルの人は絶対にインスタをやった方がいいです。

27 必ず夕食後に30分「インスタタイム」を作り家族を味方に

山賀絵里奈
会社員
Instagram ID
@erina_yamaga_singapore

Before

海外在住の自信のないママ

シンガポールで金融業界の会社員として働いていましたが、周りにいる起業して生き生きと活動する人たちを見て、私も強みを活かして輝きたいと思うようになりました。しかし会社員として責任ある仕事を簡単に投げ出すこともしたくない……と悩んでいました。

当時、ビューティーコンシェルジュと名乗って顔タイプ診断やメイクをお友達にする活動をしていたものの、ビザの事情により堂々と活動の幅を広げられないことから、「もっと活動をやりたいけどできない」ジレンマに陥っていました。

After

3ヶ月で1万フォロワー&自己表現を楽しめるように！

発信を始めて3ヶ月で、1万フォロワーを達成。ただの会社員でしかなかった自分が、個人として認知され憧れられる存在になれました。リアルなファン作りができるようになり、DMで投稿から元気をもらった、勇気付けられたというメッセージをもらえるようになりました。

まず手がけたのは、自分自身をコンテンツにしたこと

私自身を表すキーワードを考えたとき、シンガポールで15年（当時）暮らしていることは他の日本人アカウントと比較してインパクトがあるなと感じました。海外で働きながらママをしている自分が、どんなことを発信したいのか。誰の役に立ちたいのか？　と考えた末、『海外にいても！　ママでも！　自分の魅力を輝かせて楽しく過ごせる！』そんな姿を自身の日常を通して伝えたいと思うようになりました。

当時は情報系アカウントとライフスタイルアカウントの2種に大別されていたので、**「私自身」をコンテンツとして魅力や価値を感じてもらう内容**を意識して、自身の思いや日常のことを発信するようにしました。

続けるためにやったことは、夕食後に30分「インスタタイム」

必ず夕食後に30分は「インスタタイム」を作り、家族にも伝えて実行。その行動を通じてインスタで成功する秘訣である「続ける」という姿勢が身につきましたし、「私もやればできる」という自信にもなりました。

この30分を必ず確保するため、これがある前提の毎日のルーティンをあらかじめ作りました。

フルタイムで仕事をしていたので、①在宅勤務の仕事を時間通り切り上げる→②そのためにやることの時間割を作る→③いつどこで何をやるかのスケジュールを作成。

ポイントは、30分インスタの時間を最初に入れること。その後、毎日ほぼ決まっていて必ずやることをスロットインしていきました（宿題チェック、お風呂に入れる、寝る前の本読みなど）。

加えて、自分の頭の中だけで予定するのでなく、紙とかホワイトボードに書き出して、**家族でその流れを共有事項にしてしまったこと**（さらに細かく言うと、ママが勝手に決めたことにならないように、これはいつやる〜？　と娘たちに聞いて娘主導になるように決めていきました）。

一日のうちいつやるかを事前に決めておいたことで、仕事の時間やちょっとした空き時間にモヤモヤインスタのことを考えたり、だらだらスマホをすることを避けて集中できたと思います。

周りからの理解を得るためには、「やることをしっかりやる」

私が家族から応援されるようになったのは、自分の持ち場や役割をしっかり行ったことも大きいです。フルタイム勤務をこなし、子どもたちの学校のサポートやケア、家族タイムなどに手を抜かない。

これらは一見ハードルが高く感じられるかもしれませんが、完璧にこなすことが重要なのではなく、心地よく応援してもらえるように「私はみんなのこともちゃんと忘れてないよ」という姿勢を日々の生活の中で見せるようにすることが重要です。後日、夫に言われた言葉にも「やることはしっかりやっていたから文句は言えなかった（笑）」とあったくらいです。

また、子どもたちも巻き込むようにしました。夕食を食べ終わったら、「じゃ！　ママはインスタタイム行ってきまーす」と笑顔で楽しそうに言っていました。さらに子どもたちには、「ママも勉強だよー、一緒に頑張ろうね！」と声かけをして、私が30分部屋にこもる間、子どもたちも宿題だったり習い事のワークだったり本読みだったりにその時間を充ててもらうようにしました。

こうしてメリハリをつけて、**一緒に頑張っている時間という見せ方にしました。**

中島侑子より

インスタをやっていることを家族に伝えられない方は多いです。特に旦那さんに反対されてやめるパターンは多数。

逆にインスタきっかけで夫婦仲が良くなるという話もよく聞きます。そういう場合は旦那さんが写真を撮る係など、何かしらの役割を担っていることが多いです。絵里奈さんも、一緒にお酒を飲みながらインスタライブをされていたりします。インスタを夫婦の共通言語にすることが、円満の秘訣かもしれません。

28 毎日投稿を6ヶ月間継続しフォロ活なしで1万フォロワー達成！

船津未帆
モデルアカデミー経営
Instagram ID
@mipopo340

Before

SNSが一切できないモデルの先生

モデル講師歴14年のキャリアを持ちながら、SNSが超苦手で全く発信ができていませんでした。企業様から「発信力のあるモデル」を求められることもあり、今の時代、SNS発信が絶対必要！　とわかっていながら、モデルたちへ発信の必要性を語ることは一切できませんでした。私自身SNSで全く発信していないのですから、説得力も信頼もない先生だなと痛感。SNSが活用できていない自分が情けなくもなりました。

After

念願の「インフルエンサーモデルコース」を開講

超苦手だったインスタを6ヶ月間毎日投稿した結果、現在フォロワー数は1万人。笑顔とキレイを創るモデル講師として日々発信しています。職業は変わっていませんが、体験している世界はまるで違います。たくさんの生徒さんから、「先生の発信はとても勉強になります」と言っていただき、念願のモデルのための「インフルエンサーモデルコース」を開講することができました。表現力と発信力を武器にするモデルを多数育成しています。

まず手がけたのは、長年やってきたモデル表現をテーマに

最初にどのようなアカウントにするかを考えました。何か目的を持って発信できることを探したときに、長年やってきたモデル表現を主軸に綺麗になりたい人やモデルになりたい人へ向けて、ウォーキングや写真の撮られ方・魅せ方のポイントを発信しようと思いました。**自分が今までやってきたことや、好きなことはなんだろうと考える時間はとても有意義**でした。

ターニングポイントは、発信する目的を作ったとき

SNSが超苦手だった私ですが、言い訳を一切せずに学んだことを「やる！」と覚悟しました。正直、最初は何のために発信するのか意味がわかりませんでした。私の毎日の日記みたいなことを発信する意味あるの？と思っていました。我ながら、腑（ふ）に落ちないと行動できない性格だなと思います。

最初にコンセプトワークをして、誰に何のために発信するのかという目的を作ったら、ようやく発信できるようになりました。発信する目的を持ったときに初めて行動に繋がったのです。そして、「自分の発信が人の役に立てるんだ」

と気づいたときから発信することの意義や楽しさを感じるようになりました。
ストーリーズは特に気軽で、コラージュも楽しく、リールの動画編集も意外と好きなんだ、と気づきました。苦手だと思っていたSNSもきちんと学ぶと楽しいと感じるようになり、だんだんと発信が「楽しい」に変わっていきました。

最も力を入れたのは、6ヶ月間毎日投稿

どんなに眠くても、ネタがなくても、何としても6ヶ月間毎日投稿を継続したことです。アカデミー卒業後も100日間、毎日投稿を続けました。それまでは月に1、2回しか投稿しなかったのが**毎日投稿になり、一気にエンゲージメントが上がりました。**その結果、元々500人だったフォロワーが1万フォロワーになりました。あんなにSNSが苦手だった私が、自分でも信じられません。

また、インスタの中で「交流」することも意識しました。ストーリーズでフォロワーさんにアンケートを取ったり、DMでお話ししたり、コメントしたり、タグ付けしたり。**リアルの人間関係と同じように交流を広げました。**

私は超裏方気質で自分を出すことに抵抗がありましたが、目的のために思い

切って自己開示して、見てくれる方のお役に立てるような発信を心がけました。

続けるためにやったことは、スキマ時間の活用

当初は1週間まとめて投稿内容の計画を立てておこうと思ったのですが、それはやれませんでした。そこで夜寝る前、朝起きてすぐに、インスタのことを考えるようにしました。

投稿には、**移動時間やスキマ時間を利用**しました。電車に乗っているとき、仕事を終えてから1~2時間。家族で過ごす時間も「これはネタになるのでは?」と考えるようになり、以前はボケーっと過ごしていた時間も、写真・動画を撮影し、**子どもたちと過ごす時間もネタ**に変えていきました。おかげさまで子どもの記録写真が増えました。

ときにメンタルが落ち込むこともありましたが、仲間やフォロワーさんが毎日支えてくれて、応援の言葉やコメント、ストーリーズでメンションしてくれたとき、涙が出るほど感動しました。人に助けてもらうと、こんなにも温かい気持ちになることを知りました。私が継続投稿できたのは、**自分ひとりの力ではなく仲間やフォロワーさんの支え**があったからだと思います。

中島侑子より

インスタをやっていると、時にフォロワー=数となってしまいがちですが、未帆さんはリアルな人間関係と同じように交流されていました。それがファンづくりの一番のポイントです。お子さんなど、家族を巻き込んで一緒にインスタを楽しむことで自分だけのインスタではなくなり、結果的にそれがモチベーションに繋がって継続する意味が出てきます。

29 隙間時間を無駄にせず、行動！やるべきことをリスト化、数値化、かかる時間も意識

かずえ
会社員
Instagram ID
@kazue_inoino.kitchen

Before

お菓子教室の先生を夢見る会社員ママ

会社員兼ママとしての今後の働き方に不安を抱いていた頃、「お菓子教室をしたい」と、漠然と思い描くようになりました。経験なしコネなしだったため、教室の認知のためにもインスタグラムの可能性を感じ運用を始めました。しかし、自己流ではなかなかうまくいかず、仕事と子育てで時間もないため、焦りを感じていました。

After

会社員兼ロースイーツ講師に

インスタで健康、美容、食について発信を続けてきた結果、フォロワーは3.3万人に。食や美容のＰＲも依頼されるようになりました。そして、会社員ママをしながら副業としてロースイーツ講師をすることになり、大好きな企業や雑誌のアンバサダーをさせていただける機会も増えました。素敵な生徒様との出会いも広がり、教室業の集客も順調です。

まず手がけたのは、忙しい会社員ママでもできる食の発信

自分が好きなもの、私の場合は、「簡単！　楽しい！　カラダに優しい食」と忙しい会社員ママを掛け合わせて発信テーマとしました。

忙しいママでも、挑戦すれば「好き」を広げられるんだと応援できるような、見ていてワクワクするような投稿を目指しました。

ターニングポイントは、発信に自分らしさが出てきた頃

フォロワーが伸びて発信が自分らしくできるようになったと感じたときと、活動を無理なく継続できてきたときです。「私なら大丈夫だ」という自信がついていくターニングポイントでした。

フォロワーさんから、「投稿に癒される」「前向きになれる」といった嬉しいお言葉をいただくようになり、自分の強みを意識しながら、写真の撮り方、色合い、言葉選びなどで世界観を作っていきました。

続けるためにやったことは、時間の使い方の見直し

隙間時間を無駄にせず、行動！　そのためには、**やるべきことをリスト化、数値化し、どれくらい時間がかかるかなども意識**していました。

投稿する時間は、家族の予定に影響されない朝に確保していました。毎日30分〜1時間、早起きして**自分の未来のために使う時間**にするだけでも、1ヶ月、1年と続ければ大きな成長に繋がります。また、インスタグラムはスマホがあればどこでもすぐに利用できるので、通勤時間も貴重な隙間時間として活用しました。限られた時間なので、意外と集中できます。

また、バーチカル・デイリー様式の手帳で時間の使い方を見直し、だらだら見ていたテレビ、なんとなくのお買い物など、やらなくていいことに時間を使うことをやめました。

工夫したことは、効率的な時間の捻出

インスタグラムを育てるには、コミュニケーションと行動量が大切です。**やるべきことをリスト化**しておくと、自分の行動指針となります。例えば、アプ

「時間を作る」というとすごく大変な努力が必要だと感じてしまいますが、「やらなくていいことに使う時間を捨てる」と置き換えると気が楽になるかもしれません。自分が何をしているか、何をするのに何時間かかるかを計測記録してみると、「うわ、こんなところにこんなに時間を使っていたんだ」ということが見えてきます。

ローチしていくアカウント数、作成するストーリーズ数、リサーチ数など、やることが明確だと迷わず行動でき、達成感にも繋がります。

以前は、「時間がない」という思い込みが強かったので、**自分が何をするのにどれくらいの時間がかかるのか**を知ることから始めました。投稿記事を作る時間、アカウントにアプローチする時間をタイマーで計り、行動することに必要な時間を把握します。必要な時間がわかれば、一日のどのタイミングでやろうといった計画も立てやすいです。タイマーで計りながらどれだけこなせたかを把握していくと、はじめは時間がかかっていたことも、だんだん効率が良くなっていきます。ゲーム感覚で楽しくなっていくものです。

インスタグラムは、**キラキラした世界観や自撮りでなくても自分が好きな世界を発信する**ことで、人が繋がり集まってくる世界だと感じるようになりました。年齢性別経歴に関係なく、夢や想いをカタチにできるツールだと思います。

私はインスタグラムで、なりたい姿を思い描き行動すれば、どんなことも叶うことを学びました。また、挑戦や自己投資をすることで、女性が自由に自立するステージに行けるということも知りました。私自身、会社員ママで教室業をするなんて思っていませんでしたから。

30 最新のインスタ情報を追い、トライ&エラーを繰り返す

増田薫里
フラワーデザイナー
Instagram ID
@kaori_masuda.flower

Before

子育てと介護が終わり、鬱で自信がない50代だった

子育てと介護が終わり、自分を見つめている時期でした。お花は教えていましたが、鬱で何も自信がなく、インスタグラムも、「50代の私にできるのかな」と思っていました。自分を変えたい、人生を変えたいと思っていました。

After

海外からの依頼も来る、アラ還世代の希望の星

インスタグラムでフラワードールを見た韓国企業からソウルに出展依頼が来て招待されたり、銀座の某デパートから出展依頼が来たりするように。PRの依頼も絶えず、これまでに400件以上の案件をいただきました。「自信がない」と言っていたのが嘘のように、笑顔の溢(あふ)れるアラ還世代の希望の星になれました。

まず手がけたのは、自分をありのままに発信

インスタを始めた頃の私は、子育て、介護が終わって自分を見つめる毎日を送っていました。私の投稿を見て、50代でも楽しく仕事ができる、年齢を重ねることは、楽しいことだと思ってもらいたいと考えました。

年齢的に、「もう無理」「行動できない」と思うことも多いです。しかし、**できない自分や、ちょっとポンコツな部分をありのままに伝えることで、見る人に身近な存在として感じてもらえる**ように思います。

ターニングポイントは、失敗を恐れず挑戦したこと

継続すること、とりあえずやってみることで、どんどん世界が広がっていった気がします。失敗してもやることに意義があると思ったため、海外からの出展依頼もお受けすることができましたし、講座やイベント企画もできるようになりました。

最も力を入れたのは、最新の情報を追うこと

公式インスタグラムなどで最新情報を追って、トライ&エラーをしています。また、インスタグラムで発信している様々な人のアカウントをチェックし、色々な情報をインプットしています。

フォロワー数だけが重要ではなく、**どれだけフォロワーさんのためになるのかを考える**ようにしています。投稿のいいねに一喜一憂しないように心がけつつ、同時に反応が悪いものは、その理由を考えます。

写真は、とにかく楽しそうな写真を使うようにしています。50代60代は、身体の変化、介護など色々あるもの。しかし、そんなときでも前向きに過ごしていることが伝わる投稿を心がけています。生きていれば辛いこともありますが、フォロワーさんと繋がっていることで私自身がパワーをもらっています。

工夫したことは、リールを続けて分析

リールをとにかく続けて、どんなものがフォロワーさんにとって関心がある

中島侑子より

薫里さんはいい意味で「完璧を求めない」方。テンプレートを使われるなど、自分ができる中でのベストを探されています。肩肘を張らずに、力を抜いて投稿し続けるのが、疲れずにインスタを続ける秘訣です。最新のものを試してみては、トライ&エラーを繰り返されています。

のかを分析しています。リールの編集は毎日となると大変なのですが、テンプレートを使うようになってから、リールが楽しくなりました。

一番大きな変化は、「とりあえずやってみる」の精神

インスタで「トライ&エラー」の習慣がついたおかげで、あらゆることに挑戦できるようになりました。60歳になって最初のチャレンジは、ハワイで侑子さんのトークイベントを主催したことです。

私自身、がんの手術後、鬱になって、自己肯定感マイナスというどん底の状態から、フォロワーさんのコメントで人生が変わってきました。今度は「私ができることで皆さんにお返ししたい」と思い、より多くの方にインスタの楽しさ、使い方を侑子さんから伝えてほしいと企画しました。

インスタでご縁をいただいた方に「ハワイに知り合いはいませんか?」とたくさんDMしたり、インターネットの翻訳機能を使ってメールをしたり、国際電話を何回もかけて準備中はヘトヘトでしたが、おかげでリアルな人との繋がりと自分のキャパシティが広がりました。

31 消し去りたい過去は誰かの勇気になる

新居ゆう子
イメージ戦略コンサルタント
Instagram ID
@yuko_color_fashion

Before

派遣切りに怯えるシングルマザー

シングルマザーで派遣事務。元々、不安定な派遣ですが、コロナ禍で職を失う不安に怯えていました。派遣されていた会社の財政が厳しくなり、3ヶ月ごとに派遣を切るかどうか議題が上がるたびに不安で眠れなくなり、更新されるたびに安堵する、を繰り返す日々。

会社に依存している自分、何もない自分に嫌気がさし、どうやったら変われるのかと悶々とした毎日を送っていました。

↓

After

人生を変えたいママたちをプロデュース

発信を始めたところ、5ヶ月でフォロワーが800→1万に。多くのPR案件やアンバサダーを経験することができ、自分に自信がついて起業する勇気が持てました。

現在はイメージ戦略コンサルタントとして、多くの人生を変えたいママたちの人生をプロデュースしています。

まず手がけたのは、服について発信

ファッション関係の資格があったため服についての発信を始めました。当時の私は、自宅から徒歩5分圏内の会社で派遣事務員として働いていました。行動範囲も家の周りだけ。すっぴんだろうが、毎日同じ服だろうが、会う人も毎日一緒。会社で会話をする人といえば、掃除のおばさんや同じ事務員の女性などで、お洒落をしても「誰も見てないし」と感じていました。

しかし、インスタグラムではファッションに対して発信しているのに、私自身が毎日すっぴん、同じ服では説得力がありません。そこで、たった5分の誰にも会わない距離でも、しっかりメイクして、朝からお洒落して会社に行くようにしました。最初はインスタの投稿のためだけでしたが、毎日綺麗にすると、誰かに会いたくなる。そうやって続けていくうちに、**発信者として「見られる自分」を意識し始めました。**

ターニングポイントは、シングルマザーと婚約破棄を自己開示したこと

侑子さんに言われた通りに毎日発信を続けていましたが、はじめはとても苦

痛でした。しかし、いつしか見られるのも平気になり、あんなに苦痛だった投稿もいつの間にか楽しくなっていました。

実は私はシングルマザーの自分を恥ずかしいと思っていて、仲の良い友人にしかそのことを伝えていませんでした。

ですが、私が誰かの勇気になるためには自己開示が必要ということで、シングルマザーだということや、離婚後に再婚しようとした人と婚約破棄したことを書きました。この投稿は大変に勇気がいり、何回も消そうと思いました。

しかし、その投稿をきっかけに、「あなたから勇気をもらった」「欲しいときに欲しい言葉をもらえる」とＤＭなどをいただくようになりました。そしてフォロワーもどんどん増えていきました。『私という人間』を認められるようになり、**消し去りたい過去は、誰かの勇気になると気がつきました。**

インスタで一見キラキラして見える人も、背景には苦労や大変なことがたくさんある。皆、何かを背負いながらも、精一杯生きている。そんな風に、キラキラインスタグラマーに対しても、見る目が変わりました。嫌いだったインスタが好きになり、インスタで発信する自分が大好きになりました！

中島侑子より

仲の良い友人にしか教えていなかった、シングルマザーであることと、再婚相手と婚約破棄した話を自己開示された頃から、ゆう子さんのファンがものすごく増えました。自分の中では消し去りたい過去でも、それは誰かの力になります。

最も力を入れたのは、リサーチと検証

毎日検証することです。ただ発信するだけでなく、リサーチと検証を毎日行いました。なぜ、この人はこんなに人気なのか？　自分とどこが違うのかをリサーチしていました。

インスタグラムはたくさんの方が利用していますが、最初は目に留まっても印象に残る人、残らない人がいます。その違いは、**キャラや人間性が出ているかどうかだ**と思います。

毎日投稿しているけれど、飽きてしまう人、たまにしか投稿しないけれどなぜか見てしまう人。写真も綺麗に越したことはないけど、最近は綺麗な人や写真が多く、どれも似た感じで区別がつきづらく感じました。その中でも、光っている人はキャラ立ちと発言が面白いです。ただ、綺麗な人、綺麗な写真、一見ためになるような文章より、その人独自の言い回しやキャラクターに注目して、リサーチしていました。

そうやって得た分析結果をひとつひとつ自分のアカウントで取り入れつつ検証し、トライ&エラーを繰り返してたくさんの気づきを得ました。

32 うまくいっている人のやり方を徹底的に真似する

八木下美保
ボディトレーナー
Instagram ID
@issy.changebody_mind

Before

起業したものの収入の目途が立たず

1年前に起業しましたが、全く収入になっていませんでした。今年になり、集客をしなければとビジネスをサポートしていただく先生からも学びましたが、インスタグラムをもっと掘り下げて学びたいと思っていたところでした。しかしPCが嫌いで、スマホも最低限の機能しか使っていないアナログ人間。さらに写真も興味がなく、自分が撮られるのなんて大嫌いでした。頭の中が真っ白になり、何を投稿していいのかわからずフリーズ状態の毎日で、朝が来るのが心底苦痛でした。

After

少しずつフォロワーも増えPR案件をいただけるように

まだ目標には届きませんが、少しずつフォロワーも増えてPR案件もいただくようになりました。出会いの質が変わり、私自身と環境に大きな変化がありました。また、私の未来図が見えてきました。おかげで、何にワクワクするのかも思い出しました。

明確な目標をまず作ること。そしてその目標を達成するためにどうしたらいいか考え行動することが大事だと気づきました。

ターニングポイントは、「失敗か成功か」の思考をやめたこと

「失敗か成功」かではなく、「仮説と検証」の繰り返しだと捉えられるようになったことで、気持ちが楽になり生きやすくなったのを感じます。

「失敗か成功か」となると、肩に力が入ってしまいます。そうなると普段の自分ではなくなりがちです。今までの私は、毎回真剣勝負のような気持ちで生きていたので、いつも眉間に力が入っている状態でした。

それが「仮説と検証」「トライ&エラー」ということを教わってからは変わりました。

自分の中で、「仮説と検証」とはどういうものかと考えたときに、つまりは**「試しにやってみる」**ことだと気づきました。**「やってみてダメだったら、次」**の繰り返しだと捉えられるようになると、心の持ちようが変わりました。

人生も常に同じだと思うことで、色々なチャレンジに対してのはじめの一歩が楽に出るようになりました。そして、いつも石橋を叩いて慎重に慎重に渡るか、渡らないかと考えているような性格の私でしたが、この「仮説と検証」の考え方のおかげで、人生における新しいことへのチャレンジに対する姿勢が変

わり、それが生きやすさに繋がりました。

また、写真に慣れることができたのも大きかったです。

これはもう「やるしかない！」に限ります。「数（量）をこなす」。何枚も何枚も撮ったり撮られたりしていたら、次第に慣れてきました。どうして自分はこんなことを気にしていたり、躊躇（ちゅうちょ）していたりしたんだろうというように、気持ちが変わってきました。

自分でいい顔だなあと思える写真を撮れたとき、自分に自信が持てました。

最も力を入れたのは、人気の投稿を徹底的に観察し取り入れたこと

うまくいっている人のやり方を、徹底的に観察し取り入れたことです。以前は自分の凝り固まった考え方が邪魔をしていて、ガチガチになっていて参考にすることさえ躊躇していたように思います。

私の場合、「腸活」「筋肉」「くびれ」というように、インスタグラムで上げたいテーマが決まっていました。なので、ハッシュタグでそのワードを検索し、人気のある投稿の中から、いいなと感じるものを探しました。

タイトルだったり見せ方だったり、自分流にアレンジして取り入れてみまし

中島侑子より

誰かの真似をしても、自分らしさはどうしても出てしまうものです。うまくいく人はうまくいく理由があってうまくいっています。逆もしかり。プライドが邪魔をすると、ひとつのやり方に固執して、なかなか抜け出せない場合もあります。素直に「真似しよう」と言えるのは、実はすごいことなんです。

た。参考にすることで、一から考えるよりも投稿作成時間の短縮になりますし、自分では思いつかないような、また考えつかないような発想の仕方が身につきます。

ほんの数ヶ月前は、こうやって参考にすることすら躊躇していました。自分で考えたものが一番いいだろうと、自惚れていたからです。「私ならもしかしたらバズるかも」という大きな勘違いをしていましたが、そんなことはできないという自分を認めたことから、変わりました。

壁と、その乗り越え方は、使う言葉を変えたこと

運動指導者を12年やっているため、どうしても上からの発言になりやすく、共感を抱いてもらいにくいのが問題点でした。そのため、書く言葉をカジュアルなものにしつつ、砕けすぎず薄っぺらくならないようにバランスを取りながら発信していきました。このあたりの匙加減は、私の周りの人たちから意見や感想をもらい、少しずつ掴めてきたように思います。

33 自分の強みは発信しながらインサイトで見つける

中釜えり
元会社員
Instagram ID
@eri_mama55

Before

保育園落ちして社会から切り離されたママ

1人目の産後、今までの仕事は外回りの営業で夕方メインだったので続けることは無理と感じていました。そしてフルタイムで申請しても保育園落ち。自分で仕事をするしかないと模索し始めました。見様見真似でSNS集客を始めるも、なかなかうまくいかず。

初めての出産・育児は疲弊し、社会と切り離された孤独感を抱き自分の存在価値を見出せずにいました。

After

4ヶ月で劇的変化。0歳児がいても在宅ワーク

たった4ヶ月間、発信に向き合ったことで、人生が変わりました！　在宅で仕事をすることができるようになり、2人目の産後は0歳児の子どもがいても好きなことができるようになりました。

仮説・検証・分析の考え方が身につき、これはTikTokなどインスタグラム以外のSNSでも役に立っています。

まず手がけたのは、子育てと旅をテーマにしたこと

まず自分が発信したい子育て、旅をテーマにしました。「子どもが小さいからどこにも行けない」と当時は思っていたので、そういう人に「できるんだ！」と一歩踏み出すきっかけになれたら嬉しいと考えました。そこで、「小さい子どもがいてもママだけでも電車で気軽にお出かけできる」というのを軸に、発信を始めました。

ターニングポイントは、「#子鉄女子」

自分の強みは発信しながら見つかりました。

自分の中にある何が強みなのか？　他の人と差別化できる点は何か？　発信テーマを決めるとき、はじめは全くわからなかったので、自分の好きなことを発信し始めました。

旅行をテーマに発信している人はたくさんいる中でテーマを狭めて「子連れ旅」としてみても、侑子さんがインスタを始めた頃に比べたらもう発信者が多いテーマになっていました。

「電車で行く子連れ旅」「電車好きの子どもとママ」をテーマに発信している人はいるけれど、みんな男の子で女の子はいないことを発見！　ならば「女の子で電車好き。電車で旅する」というのが差別化（強み）になると思いました。

例えば、鉄道会社の人が「女の子の子鉄」を探したら、自分のアカウントがヒットするように**「#子鉄女子」**というハッシュタグをつけるようにしました。

現在、このタグは私の投稿で埋め尽くされています。これは反応を見てというよりリサーチしてわかったことですね。

工夫したことは、ライフステージに合わせて方向転換

ライフスタイル、目的に合わせてテーマを変更していったことです。

- ライフスタイルの変化（妊娠・出産など）
- 社会の変化（コロナ禍など）
- インスタグラムをする目的が変わった

このように、テーマの変更が必要なこともあります。うまくテーマを変更していくことで、フォロワーが増える、ファンが増えるようになりアカウントが育っていきます。

私自身、はじめは子連れお出かけや旅をテーマにしていましたが、2人目の妊娠・出産で出かけられない時期は妊娠・出産についての発信がメインになりました。初めて妊娠・出産をする人が知りたい情報、自分の経験を投稿し、自己開示することで共感してくれる人が増えました。

子連れ旅の発信を始めてすぐにコロナ禍になったので、おうち時間や育児に対する考え方なども発信するようになりました。コメントやDMは増えて、育児に対する応援のコメントには、励まされました。

コロナ禍でディズニーランドが閉鎖した後、解禁になったときにディズニーに行ったのですが、コロナ禍のディズニーの状況についての投稿をしたところ、一気にフォロワーさんが増えました。

コロナ禍で近場しか出かけられない時期だったので、東京の人で注目される方が多かったのだと思います。行きたいけれど混み具合（密にならないか）などが気になる人も多かったのかなと感じました。

世の中のニーズに合わせて発信内容を臨機応変に変えていくことは、アカウントを伸ばし続ける上で必要なことだと思います。

中島侑子より

「自分の強みを見つけましょう」と言われても、それが何だかわからない人は多いです。えりさんの場合、発信しながらそれを見つけられたのはすばらしいと思います。徹底的にリサーチし、伸びるハッシュタグを探したことも大きいです。また、「女の子の鉄道好き」というテーマを定めつつも、凝り固まりすぎずに臨機応変にテーマを変えている点も参考になると思います。

34 本来の顧客向けの投稿に変えてから、自分のスクールの申込率が上がった

湯山 卓

セラピスト育成スクール主催者

Instagram ID

@ago_school

Before

知名度のない、独立したての整体師

40歳を過ぎて、会社員から整体師として独立しました。整体サロンへの集客だけではなく、セラピストスクールを立ち上げようと思っていたものの、知名度はないし、広告を打つほどのお金も持ち合わせていません。やる気はあるのに、認知を広めるにはどうしたらいいのかと悩んでいました。

After

独立から３年目で年商１億円を達成

インスタのフォロワーさんが300名を超えてきた頃から生徒さんが増え始め、２年で200名を超える生徒さんを世に送り出すことができました。そして、それをきっかけに事業を拡大して、今ではセラピストスクールを全国展開、ヘッドスパFC事業の本部、顧問先３社、事業コンサルタント、講演家と幅広く活動させていただき、独立から３年目で年商1億円を達成しました。さらに、昨年末に書籍を出版できました。

まず手がけたのは、「解決できない問題」を探すこと

同じような投稿をするライバルやサービスをリサーチし、そこから発信を届けたい相手（ペルソナ）を細かく設定しました。**ペルソナが待っている情報は何か？　ライバルが提供しているサービスだけではペルソナの悩みごとが解決しない点はどこか？**　その点を徹底的に考えて、投稿していきました。

さらに、自身のサービスを求めているアカウントを探します。私の場合だとサロンや店舗のアカウントです。投稿を拝見した上で、お困りごとがありそうであればDMをして直接お悩みを伺ったりすることもあります。

インスタグラムのプロフィール欄に、複数のHPへのリンクを貼っている方も多いです。気になる方はそこも見に行って、現状で未解決な問題を探ります。

直接DMをして、話が進めばあらかじめ用意しておいたアンケートを送付して、より具体的なお悩みを聞きつつ、お話を伺っていきます。ペルソナが明確なのでその方の悩みごとの解決策がうちのスクールであることが多くなります。

アンケートはGoogleフォームで回収しているので、クライアントさんが困っている課題が蓄積されていきます。その課題に対して、ひとつひとつ回答

していくことで「この人、気になる」とか「この人の話をもっと聞いてみたい」と思っていただき、「スクールの説明を受けてみようかな」となっていきます。

あとはどの投稿が良かったか、インサイト(インスタが公式提供している分析ツール)を常にウォッチして、反応が大きかった投稿をブラッシュアップしました。自分よがりの投稿ではダメだということが、数字を見るとはっきりとわかります。ニーズを探り、見てくださる方がどんな反応、評価をするかといった他者目線を持つ必要があることを分析によって知りました。

私は販売したいものがスクールなのに、ペルソナの設定が「スクールで学んでセラピストになりたい人」ではなく「施術を受けたいお客様」になっていて的外れだったので、投稿への反応はあっても、お申込みには繋がりませんでした。そこで、「施術を受けたいお客様」に受けた投稿を、「セラピスト目線」に変えることでお申込みに繋げることに成功しました。

常に心がけていることは、本来の目的を自覚すること

侑子さんのアカデミーでは、多くの方がインフルエンサーを目指されていま

した。そうなるとフォロワー数はとても重要になります。他の生徒さんはどんどんフォロワー数が伸びていく中、3000ちょっとで足踏みしている時期はただただ焦りしかなかったです。

でも、あるときに私はインフルエンサーになりたいわけではなく、自分のスクールの認知を広げて、そこからご入校いただきたいという目的でインスタを始めたことを思い出しました。

自分の本当の目的に改めて気づいた瞬間に、とても楽になりました。

そこからどんどんとインスタで新規顧客を開拓し、事業を拡大していきました。今ではセラピストスクールを全国展開、ヘッドスパFC事業の本部、顧問先3社、事業コンサルタント、講演家と幅広く活動し、独立から3年目で年商1億円を達成しました。

さらには、2022年の12月に初の著書も出版しました。『1日1分アゴ体操で、うつがみるみる消えていく!』(河出書房新社)です。ほんの3年前までは無名の整体師だった私が、です。

インスタがなければ、ここまでたくさんの夢を叶えることはできなかったと思います。

中島侑子より

この方がすごいのは、ライバルになる人たちをたくさんリサーチし、ライバルが解決できない点を洗い出したこと。これ、ビジネスをされている人は絶対にやった方がいいです。

また、フィードでは主にビジネスの投稿、リールで顔出し投稿という形を取られています。こうすることでアカウントが雑多にならずに、統一された世界観で発信ができます。

35 仮説を立てて、実行するノートに書いて可視化する

今湊英乃
人材育成会社代表取締役、
女性の起業サポート主宰
Instagram ID
@hideno_happy_method

Before

新規プロジェクトのブログ集客で壁にぶち当たる

リピート率93%の人財育成会社社長として多業種の研修を行う中で、女性の活躍を応援したいと女性特化型アカデミーを設立しましたが、認知や集客の方法がわかりませんでした。アメブロ集客をスタートさせて、ライティングの講師にもお世話になりましたが「何かが足りない」「この気持ちではブログを書かなくなる」というネガティブな感情がありました。

After

考えと世界観を伝えファン化に成功。集客の苦労もなし

女性特化型アカデミーは順調で、集客にも苦戦していません。インスタは考え方（言語）と世界観（視覚）の両方で発信できるから、ファン化がしやすいと感じています。ブランディングにも利用できているほか、他の人と繋がるときの名刺代わりにもなっていて、コミュニティが広がりました。さらにデータを土台に分析をする癖がつきました。これは、仕事でもプライベートでも、PDCAを回すのに役に立っています。会社ではPDCAを回すことで、目標を見える化し、社内で共有できるようになりました。

ターニングポイントは、発信が楽しくなったとき

発信そのものが好きになれたときです。**インスタグラムは、世界観を自分の手で作れる**のが良いところだと思います。言語だけでなくビジュアルのインパクトが強い。それをクリエイトする楽しみがあります。例えば、フィルターを統一することで世界観を演出できますし、洋服のテイストを敢えて変化させたり、アップ写真が続かないように遠い写真、近い写真などを交ぜたりすることで、見る側に物語やテンポを与えることもできます。

また、すでに身近なSNSになったので、気負わずに発信ができるのも良い点だと思います。

最も力を入れたのは、仮説・分析・検証

仮説を立てて、やってみて、トライ&エラーを繰り返したことです。

例えば、「ワインの投稿をしているインスタグラマーをフォローしている女性は、私の投稿にも興味を持ってくれるかもしれない」という仮説を立てたとします。いわゆる、「大人女子」「ハイスペック女子」「人生に華やかさや豊か

さを求める女子」という層です。

そのユーザーをフォローしたりコメントしたりすることでアプローチし、私の存在を認知してもらいます。

その中で何%の人がフォローしてくれたかを検証します。

こうやって実際に検証してみると、仮説が外れることが意外と多いです。

例えば、私は発信内容にマインドを打ち出しているので、心理学系の投稿をしているインスタグラマーのフォロワーに狙いを定めたことがありました。しかし、全く反応がありませんでした。

また、実際にやってみた検証の例では、女性と男性のフォローバック率をデータ化するために、女性だけにアプローチする日、男性だけにアプローチする日を分けたことがあります。

リーチ数と投稿内容をノートに可視化し、その関係性について分析したこともありました。結果、心理学の小難しい話やノウハウより「豊かなパートナーシップの作り方」といった投稿がリーチ数が伸びる傾向があり、コメントは約3倍の差がありました。

保存数と投稿内容をノートに可視化し、その関係性について分析したこともあります。保存数はノウハウの方が伸びることを発見しました。こちらは約2倍の差がありました。

これらは正解がないので、とにかく**仮説を立ててやってみることが重要**だと思います。

何事もPDCAを回していくことが重要ですが、頭で理解していてもできない人が多いです。まずはゴールを設定し、そのためのPlanを具体的に練り、Do（行動）する。このDoのときに、できるだけデータ化しておく。そのデータをCheckする際に活用する。そして、Action（修正・調整）する。我が社はこのサイクルをスタッフで共有しています。そうすることで、社内の風通しと、チーム力が上がります。

工夫したのは、引きの写真を撮るようにしたこと

「お洒落なアラフィフ」で憧れや共感を集められるように、洋服や、背景などを工夫しました。以前は顔アップの写真や、アプリで作成した画像を投稿していましたが、背景や景色、洋服が見える写真に変えてから、フォロワーが324人から6500人に増えました。

中島侑子より

どのような層に評判がいいのかリサーチし、仮説を立てて動かし、なぜその結果が出たのかを考える。私の講座ではこのようなインスタを分析・検証するためのやり方をお伝えしているんですが、英乃さんほどしっかり検証されている方は珍しいです。結果が出るまでのスピードが圧倒的です。

36

暇さえあればすぐストーリーズで発信コミュニケーションツールに

渡邉奈津紀
産前産後子育てケア専門家
Instagram ID
@natsuki.bb.63

Before

毎月赤字の元看護師

看護師から起業し、産前産後ケアを伝えたいと思いインスタとブログを発信していました。しかし発信力のなさと、SNSを使う技術のなさ、影響力のなさに悩んでいました。

また、借金をして資格を取ったので、毎月赤字状態でした。３人目を妊娠中で、このままでは守りたい人を守れない。その力をつけなくてはいけないと思いました。

After

年商1000万円超え！　日本全国に生徒を持つ

人生が変わる産後指導士育成講座を開講し、日本全国の卒業生を世に送り出しました。１歳、４歳、７歳を育てながら旅するように働き、気がついたら年商1000万円を超えていました。毎月、PRで招待され、旅行には月２回行けるようになりました。

最も力を入れたのは、ストーリーズでのコミュニケーション

暇さえあればすぐにストーリーズを発信して、人をタグ付けしながら質問したりとコミュニケーションを交わすようにしていました。

朝、昼、夜と分けながら、平均10〜20投稿しています。

ストーリーズは24時間限定、相手に表示されるのは関連性の深さや時間が関わっていますから、朝だけ、夜だけよりも満遍なく投稿するように意識しています。また、自分にも反応がもらえるように、自らもストーリーズでコミュニケーションを取りに行くようにしています。

発信するテーマが定まらないときは、ストーリーズでハードルを下げる

自分に関わるものであれば全て発信材料になると思っています。私のように講師業でなく、例えば物を売っている人でも、その人自身に興味を持ってもらうと、「この人から買いたい」となります。なので、どんな人も自分自身が発信材料のひとつになると思います。

「何を発信すればいいんだろう?」というのは、「どう料理したらいいんだろ

う?」に近いと思っています。料理がうまくできるようになるには何度も作ってみるしかないです。何度も作っているうちに、そのうち目分量でも美味しい料理ができあがります。

材料は人生にたくさんあるので、そこから美味しい料理を作り、フォロワーさんに喜んでもらえるまである程度継続力が必要です。

アカデミーはその「継続力」に必要な環境と仲間があるためにみんな何度も材料を探して料理を作り出します。卒業する頃には、美味しいと喜んで食べてくれるフォロワーさんもたくさんいる状況にまでなります。

そうはいっても、自分の人生の何を投稿したらいいかわからない……となって、手が止まってしまう人もいると思います。そこで使えるのがストーリーズです。「24時間限定」「気軽さ」が特徴なため、投稿を作るよりもハードルは低く、まだ材料の段階でもどんどん出していくことができます。さらには質問をすることで、どんな投稿が喜んでもらえるのかがわかり、フォロワーさんと一緒に世界観を作ることができます。初心者の方にもストーリーズはおすすめです。

ストーリーズをたくさん発信することで、クライアントさんに会う頃には私の近況やどんな思いがある人なのか説明しなくてもいい状態になっていること

中島侑子より

エネルギーをそのまま乗せて投稿するタイプは、ストーリーズがオススメです。私は「最低3投稿はしてね」と生徒さんに言っていますが、中には、20~30投稿される方もいます。気軽に投稿できるのがストーリーズの強みです。

はとても大きなメリットです。志に惹かれて来てくれるようになると、ストーリーズから直接商品が売れていくこともあります。

工夫したのは、更新タイミング

ストーリーズが途絶えないように更新していることです。

例えば、一度に10投稿すると24時間後には全部消えてしまいます。それを**朝3投稿、昼4投稿、夜3投稿**などに分散させることで、色んな時間に見ているフォロワーさんたちにも届きやすくなります。

ただし、物語のように読み物にするときは一気に作って更新し、一気に読めることで感情移入できるようにしました。

投稿する内容は、自らのストーリーを語るようにしています。例えば、私の場合は育児ノイローゼがきっかけで今の産前産後子育てケアをやるようになりました。これまでに経験した辛いことや失敗、それらを乗り越えた成功体験。過去から現在に至るまでの経験を話すことで、それに共感した方が集まってくださるようになりました。

37 月曜日から土曜日まで毎日ライブ配信を続けた結果フォロワー2万人に

悦喜桂子

助産師、母乳育児カウンセラー

Instagram ID

@etsuki_josanin

Before

コロナ禍で助産院の存続も危うい状態に

私は母乳育児専門の助産師として2012年4月広島県廿日市（はつかいち）市に助産院を開業しました。超少子化とコロナ禍もあり、来院される方が減ってきていました。

助産院の存続も危ぶまれている中、見込み客である25～35歳の女性が一番利用しているインスタを活用しようと始めました。しかし、何をどのように発信したらいいかわからず、フォロワー数も600人程度でした。

After

2万フォロワー達成&海外からも育児相談を受ける

現在のフォロワー数は2万人。インスタから実際に集客ができるようになってきました。アーカイブを見てくださる方は一日で200名以上。それがきっかけで県外や海外在住の日本人ママからオンライン育児相談も受けるようになりました。助産師でも、60歳を過ぎていても、可能性は無限！　やればできると思えるようになりました。

ターニングポイントは、月～土のライブ配信

私の強みである「母乳育児」を、どのように発信していけばいいか悩んでいました。そこで、実際に助産院に来院される方々のお悩みを解決する内容をライブ配信することにしました。２０２０年10月1日から、月曜日から土曜日に毎日ライブ配信をし続けています。最近はママからのご相談がＤＭに来るようになり、公開回答もしています。

この**ライブ配信が、私にとって無理なく効果的に続けられる使い方**だと思いました。あっちこっち手を出しても、全部中途半端になります。なので、他のことを試してみようとは思いませんでした。

動画にすることで伝わる情報量はとても多くなります。

初期の頃は、8：15～8：30の15分間にしていました。

その頃のキャッチコピーは**「朝ドラ終わったら、えっちゃんの部屋へGO!」**でした。ですが、1年以上毎日続けているとだんだんと15分を長く感じるようになりました。15分話していると話の内容がひとつのテーマでは終わらず、時間を持て余すようになったのです。

中島侑子より

このキャッチコピーがわかりやすくてすごくいいです。何時に何が始まるか、一度で覚えられるいいコピーだと思います。

そのため、2021年2月からは毎回ひとつのテーマで5分程度の配信に変更しました。**より絞ったテーマで短時間に濃い内容をお届けするため**です。

最近、よくいただく感想は、

「5分程度の時間なので、ちょっとした隙間時間に見てみようと思える」

「一話完結でわかりやすい」

と、配信時間を短くした方がかえって好評をいただいています。

最大の悩みであるネタ切れは、ママたちの質問で解決

準備で一番悩むのは今も昔も、話の「ネタ」です。

私のターゲットは産前産後のママ（主に産後ママ）です。その方にとってどんな内容が役に立つかを日々吟味しています。助産院に来院されるママがどんなお悩みや相談で来院されるかを振り返りテーマにすることもあります。

最近は**産後ママからDMでご相談やご質問をいただく**ことも多くなりました。

そして、その**内容を公開回答**することもしています。

ライブ配信までの準備は、

①まずライブ配信のテーマを決める。

②次に、題名を決める。
③Canvaを使い、インスタグラムストーリーズ用の文字画像を作成する。背景と文字はテーマカラーのピンク系に統一しています。
④朝の6時頃、インスタグラムストーリーズで本日のライブテーマを配信する。
⑤スマホの「改行くん」アプリでおおまかな配信内容を作成する。この内容がキャプション（投稿内の文章）になります。
⑥朝の8：15から5分程度ライブ配信する。このときに原稿は用意していません。原稿を用意すると読むことになり、見てくださる方に響かないからです。改行くんに書いたあらすじを頭に入れて、ぶっつけ本番でお話ししています。その方が臨場感が伝わると思っています。配信終了後にできる限り次回のテーマを伝えます。
⑦ライブ配信内容をリール動画にする。その際ストーリーズで使用した文字画像を表紙にする。表紙を作成することで配信内容が一目瞭然となり、伝わりやすい。表紙を作成しないと毎回私のアップ画像が並び見苦しいためです（笑）。
このようにライブ配信を続けた結果、フォロワー数が2万人を超え、インスタグラムから集客ができるようになりました。

中島侑子より
ライブの表紙は整えて投稿するのがポイントです。必ずしもお洒落な画像でなくても大丈夫。自分の力量や使える時間を考えながら、力の入れどころと抜き加減を調整してみてください。無理なく続けられることを第一に。

38 発見欄やハッシュタグでトップに載り続けるために考察

神田ゆか
美姿勢レッスン主宰
Instagram ID
@yuka.kanda__dance

Before

コロナ禍の中、知らない土地に引越した育休ママ

コロナ禍が始まったばかりの頃、育休中で住み慣れた土地から離れて全く知らない土地にお引越しになりました。コロナ禍でイベント開催も難しくなっている中で、今までしてきたダンスのインストラクター、アイドル育成、ウォーキングの個人レッスン、洋服販売などのお仕事を活かせる別の可能性がないか、探していたところでした。

After

ファッション&美容&カフェを楽しむ2歳児ママ

フォロワー数が増えるごとにPR案件をいただけるようになり、1万フォロワーを達成した頃には、自分が欲しいと思った案件は全て手に入るようになりました。投稿後、企業さんからも、嬉しいメッセージをいただきました。

また、ライバーが集まるコンテストで、LINE投票によってファイナリストに選ばれ、授賞式に出席することができました。

インフルエンサーとして、インスタグラム講座の講師にもなりました。

まず手がけたのは、ダンサーならではの存在感ある投稿

今まで美容、ファッション、オーラで自分磨きをしていたので、**これまでの経験をテーマにしました。**

フォロワーさんから「どんなお洋服も似合いますね」「お写真の表情に惹かれて真似しています」などといったお声をいただき、ダンサーの表現力を活かして目を惹く存在感のある投稿を心がけました。

場所や会う人によってファッションやヘアスタイルのジャンルを変えることによって、フォロワーさんが「参考になる！」「やってみよう！」と思える投稿をするようになりました！

その結果、自分を撮りたいけどどんな表情をしていいのかわからないという方からお写真の撮り方を教えてほしいと言われるようになりました。

最も力を入れたのは、発見欄に載るための仮説・検証・分析

インスタグラムの発見欄に載り続けるようにするためにはどうしたらいいか？　を考えました。インスタグラムの発見欄は、その人が日常的にいいねや

保存している投稿に類似したアカウントが表示されるといわれています。そこで、自分なりに考察・検証をするようになりました。

ハッシュタグを検索してトップに自分の投稿が出るようになったとき、**なぜこの投稿はトップに載ったのかを考える**ためにその投稿の**インサイト（数学分析）**を見て、いいね数、保存数、コメントは他の投稿に比べてどうなのかを見ます。写真が良かったのか、キャプションの文章が良かったのかも見ます。

また、他の方の投稿も見るようにしました。特定のハッシュタグで何個もトップに載っている人がいる場合、なぜだろう……と投稿を見に行きます。お写真とハッシュタグがとても合っているので納得という方もいれば、ずっと特定のハッシュタグをつけており投稿内容にも合っているという方もいるなど、人によって色々です。そうやって、この部分は真似てみよう、という感じでハッシュタグのテストをしていっています。

また、濃いファンを作るために、色んな方と出会い自ら相手の方に興味を持ち、**相手の投稿を見てストーリーズにアクションしたり、投稿にコメント**したりするようにしました。

そうやって自分の投稿テーマに合ったハッシュタグを何個か考え、毎回同じ

中島侑子より

インスタにはインサイトという解析ツールがあります。これは登録しただけのアカウントでは使えませんが、ビジネスアカウントやクリエイターズアカウントに切り替えると使えるようになります。このインサイトの数字を見ることで、発見欄からどれくらいの人が流入しているかがわかります。

ハッシュタグをつけていると、トップに載るようになりました。

発見やハッシュタグのトップに載り続けることにより、私の投稿を見に来る方がとても多くなり、自分から新しい方を探さなくても投稿を見に来てくださるようになりました。いいね数、フォロワー数も増えていき、どんどんエンゲージメントが上がるようになりました。

工夫したのは、確度の高いアカウントに絞ってフォロ活

あるコンテストに出ていたときはフォロワーさんを増やす必要があったので、私の投稿を好む人や応援してくれる人を検証して探し、いいねやコメントをして認知度を高めました。例えるなら、デビューしたばかりのアイドルがライブのチケットを売るためにチラシ配りをして認知してもらうのと同じように、まだまだニーズの低い私は自分を知ってもらうために自らアプローチをしました。

また、DMを送ってくださったフォロワーさんには、丁寧にお返しをしていました。

39 ターゲット層以外のフォローをやめエンゲージメントを高める

根津美穂
内装業 代表取締役
Instagram ID
@nezu.miho

Before

中途半端なSNS運用で集客もままならず

才能診断の講師、内装デザインの会社経営、子育てをしながら、高齢の実母のサポートをしていました。

インスタに投稿する時間をなかなか捻出できない、講師業と会社経営の優先順位の付け方が不完全、という悩みを抱えていました。

After

本業に集中して売上50倍。自己実現セミナーも準備中

今では総フォロワー数が2万人を超え、女性フォロワーさんの比率が上がり、年齢層もターゲットとぴったりになりました。視野と夢も広がりました。「根津美穂の自己実現セミナーをやってみたら？」と、アドバイスをいただき、この一言で私は私の天井を突き抜けるための覚悟ができ、売上が50倍以上になりました。

まず手がけたのは、目的に合わせてアカウントを使い分け

はじめは集客目的で始めたインスタグラムですが、いつしか**自分の言いたいことを自由に発信するアカウント**になっていきました。

そこで、テーマを3つにしました。

①起業家からママ社長として、憧れの要素を入れた強い言葉の発信
②子育て中の葛藤や孤独をご褒美で癒す子連れのお出かけ発信
③育児に無関心なモラハラ夫とのやりとりを開示する発信

その結果、総フォロワー数は2万人を超えました。

③は、孤独な子育てに対しての、夫への怒りを書く投稿でした。自分の発信については、誰かに何か言われたらどうしようという気持ちはあまりありませんでした。書いているうちに悔しい想いがどんどん湧いてきて、そんな想いの載った投稿には共感が、怒りを露(あら)わにするような投稿には「スッキリした」というお声をいただきました。きっと**誰か同じような悩みを抱え共感してくれる**と信じていました。その方たちを笑顔にするには最後の締めはどうしたらいいだろうといつも考えていました。

中島侑子より

届けたい相手が誰なのかをしっかり考えて、その方に届く言葉で伝えることが大事です。

美穂さんの場合は、自己開示と女性に届くことを重視してエンゲージメントを高めました。

扱うテーマは重めでも、明るく笑い飛ばすように開示されているので、気軽に見ることができます。内容よりも伝え方次第で受け取る側の重さが変わる良い例だと思います。

「共感されることが、人生においてこんなにも大切なんだ」と私が思えたのは、子どもを妊娠・出産したことがきっかけでした。

我が家は結婚当初から週末婚でしたが、一日中子どもといる生活をしていると、話し相手が欲しいと思うようになりました。

「寝る暇がない」と言うと、「俺も寝てない」という夫からの返事。

「(夫)が帰らず大変だ」と言うと、「私も同じでした(だから文句なんて言語道断)」という義理母からの返事。あげく、「どんだけ大変かいちいち報告なんていらないから!」と言われて。そんなつもりはなかったのに、私は私が何をしてどんな気持ちだったか知ってほしかっただけ……と、失望しました。

育児ノイローゼ気味になり、あるカウンセリングで「そうだよね。辛かったね。よくやっているよ」の一言に涙が止まらなくなりました。

人は共感なしでは頑張れない。幸せには生きられない。

特に女性はまだまだ、色んな種類のハラスメントを当たり前のように受けて、我慢し耐えていることが多いと日常多々感じます。

女性がもっと声を上げてお互いを共感できたら、女性は卑屈にならずに自由に輝ける世の中になる。だから共感は必要不可欠だと思います。

ターニングポイントは、ターゲット層以外のフォローを捨てたこと

私は女性に届けたいので、エンゲージメントを高めることに注力しました。私が考える「誰かに届けたい発信」の「誰か」とは、女性です。試行錯誤していた時期は量を重視して、男性女性にこだわらずにフォロワーを増やしていたのですが、そこでふと気づいたことがありました。

女性の中には男性フォロワーさんや外国の男性フォロワーさんばかりのアカウントを忌避する方が存在し、女性向けの投稿に男性からコメントがつくことを好まない方がいらっしゃるのです。

それに気づいたときから、フォローをする対象を女性に絞りました。私と年齢が近く、小学生や幼稚園のママをしている女性だけをフォローするようにしたのです。女性のエンゲージメントを高めたことで、発見に繋がったのでしょう。多くの女性の方から、コメントやフォローをいただけるようになりました。

エンゲージメント
「その投稿がどれだけユーザーの心を動かしたか」を測る指標。「いいね」や「コメント」などのフォロワーからの反応を指す。

40 得たいPRのゴールを設定し先方が依頼したくなる写真と投稿内容を意識

向井奈緒
セミナー講師
Instagram ID
@nao.mukai_okinawa

Before

コロナ禍で動けず、先が見えない不安を抱えていた

コロナ禍になり外出できず、子どもの学校も休校になり、先が見えない不安がありました。直前に仕事を手放していたので、これからの働き方を模索していました。

アラフィフになり、できることはあるのか、私の経験や強みを活かせることはあるのか、と考えていながら、コロナで何も動けず、もどかしい気持ちでいました。

After

沖縄のインバウンドに貢献するインスタグラマー・講師

フォロワー1万人を達成して、沖縄情報を発信するインスタグラマーとして認知され、PRで沖縄に貢献できるようになりました。また、侑子さんの沖縄講演会を主催することができました。

ミセスコンテストの事務局になり、ファイナリストたちにインスタ活用のことをレッスンできる立場にもなりました。

地元の商工会議所で、インバウンド対策として「英語×インスタグラム」のセミナーを開催しました。

まず手がけたのは地元・沖縄をテーマに

沖縄在住で元CA&ホテルが好きなので、「沖縄のホテルや沖縄情報」をテーマにしました。

先に得たいPRのゴールを設定していたので、先方が依頼したくなる写真と投稿内容を意識していました。私が設定していたゴールは、ホテル宿泊や、ホテルレストラン、エステ、ホテルスパ、美容皮膚科、時計などのPRです。**まだPR依頼が来ていない時点でも、あたかもPRで依頼されたかのように、商品やサービスの良さ・雰囲気が伝わるように、写真・文章で工夫**していました。

ホテルのPRがしたかったので季節ごとに変わるホテルロビーのデコレーションを撮りに行き、フィードでもストーリーでも紹介しました。

ホテルのキャンペーンの投稿記事があれば、折に触れてストーリーでシェアしました。そんな私の投稿を、ホテルの広報の方がずっと見てくださっていて、その後のホテルスイーツやレストランのPR依頼に繋がりました。

その際に気をつけていたのは、自分が主役ではなく、メインはデコレーションだということです。自分がさりげなく入っている、という写真の構図にして、そのデコレーションの素敵なポイントが伝わる写真・動画にしました。

ターニングポイントは沖縄以外の投稿をやめたこと

以前は、コスメの紹介もしていましたが、今は沖縄のホテルや沖縄のレストランに絞っています。コスメのPR件数は多いですし、自分も興味があったのでやっていた時期もありました。ですが、フィード1枚目の写真がごちゃごちゃするのが気になり、やめてしまいました。そしてホテルや沖縄情報のテーマに絞ったところ、全体の写真に統一感が出てスッキリしました。このあたりから、自分の中でPRを受ける基準が明確になりました。

最も力を入れたのは満足度の高いPR投稿

PRの依頼があったときは、**相手の期待を超える内容になるように下準備と理解を深めました。**訪問前にまず先方について下調べし、何が売りなのか、こだわりは何か、どんなターゲット層に訴求したいのか、どんなシーンで利用してほしいのか、などを想像します。そうすると、どんな写真や動画を撮ろうか、と大体想像がつくので、ポイントを逃さずに撮っておくことができます。

中島侑子より

どういうPRが欲しいのかを最初から明確にされていたのが、奈緒さんの何よりの強みでした。たまに「旅行の案件が欲しいです」と言いながら旅行の投稿は一切していないという人がいますが、さすがにそれだと依頼元もイメージがわきません。奈緒さんの場合は自宅の近くのホテルの写真を撮影し投稿されていました。泊まらずともロビーや外観の写真など、お金をかけなくてもやれることはたくさんあるのです。

さらに、投稿では「良さそう。行きたい」と自分ごととして捉えてもらえるように、一人一人に語り掛けるような文章にします。「皆さんにおすすめ」ではなく、「○○がお好きなあなたにおすすめ」というように、「あなた」という言葉を使ったりしています。

次の案件に繋げるためには、ひとつのPR投稿が終わった後も先方の投稿をよくウォッチして、新しい企画やキャンペーン、お知らせなどが出たら、ストーリーでシェアするようにしています。そうすると、また新しい企画のときにPRを依頼してくださることもあります。基本的なことですが、**担当者との人間関係、良好なコミュニケーションが大切**なので、DMでの丁寧なやりとりや、当日の挨拶、報告などには気を配っています。

さらにオリジナルのPDCAシートを作り、毎日、数の目標や検証を振り返りました。1ヶ月分を表にして、日々の投稿内容を記していました。翌日までの目標フォロワー数、実際の翌日のフォロワー数を記し、投稿の中身のブラッシュアップや日々の確認に使っていました。記録して、自分の目標に焦点を当てて、日々継続することの大切さを実感しました。

41 フィードバックを活かし継続することで 自分が欲しい案件が手に入るように

なつき
主婦
Instagram ID
@natsu_travel_cafe

Before

転職活動に失敗

当時の仕事にやりがいを感じず、転職活動をするも失敗。副業で物販やコーチングをやろうとするも挫折。好奇心はあるので色々やりたいと思って手を出すも、飽きっぽくて続かない。何も成し遂げたことのない自分に自信をなくしつつあったときに、友人がインスタグラマーとしてPR案件を受けていることを知り、興味が湧きました。身近な友人だったため、彼女にできるなら私にもできるかもしれないと思い、挑戦してみることに。

After

PRの依頼が殺到し毎週旅行、毎週外食が可能に

今までは旅行は年に多くても２～３回、グルメも記念日など数ヶ月に１回の特別なものでしたが、現在は多いときは毎週旅行、グルメ案件も断らなければ毎週外食出来るような状態になれました。宿泊やグルメが無料というだけではなく、報酬ももらえることもあり、「旅やグルメを仕事にしたい」という夢が叶いつつあります。

まず手がけたのは、情報の詰まった旅アカウントを作ったこと

「旅行案件が欲しい」というのが一番の目的だったので、テーマは「旅行」にしました。元々航空業界にいたことや広報としてパンフレットを作っていたこともあり、インスタに**よくある「映え」重視で説明少なめの投稿ではなく、映えも意識しつつ見た方が情報も得られる投稿**を目指しました。

PR案件を増やすためにしたことは、ひたすら応募

はじめは希望のホテルやグルメの案件が取れず、とりあえず応募して受かったものを片っ端からこなしていましたが、そのうちに憧れのホテルから案件をいただけるようになりました。

案件を取るために行った方法としては、自分からPR会社に登録したり、インスタでグルメや宿泊のご招待キャンペーンがあったときやアンバサダー募集に積極的に応募していました。**応募するために、キャンペーンを見逃さないよう常にアンテナをはり、**探していたと思います。

ここでは経験を積むために、本命の案件以外にも応募できるものはとりあえ

ず全部応募する勢いでした。PR案件の経験が欲しかったので、ホテルやグルメにこだわらず、化粧品や洋服など、取れるものは何でもチャレンジしていました。

またホテルやグルメも、本命のラグジュアリーなものや高級なものではなく、ビジネスホテルや安価なグルメなど、ここも経験を積むために取れるものは取る勢いで応募していました。

工夫したのは、ホテルから喜ばれる投稿のリサーチ

どんな投稿がホテルから好かれるのかをリサーチし、投稿作成に活かしました。具体的には、ハッシュタグの「#ホテルステイ」などから、ホテルのPRをしている人を探すなどしました。

そして、写真の撮り方や文章やプロフィールの書き方、プロフィール写真はどのようなものを使っているかをチェックし、参考にしました。さらに、ホテルステイしたときに同じような写真を撮ってみるなど、自分に取り入れられそうなところは試してみました。

ホテル案件を投稿した後、ホテル側から喜んでもらえたことを継続していく

ことで、だんだんと自分が欲しい案件が手に入るようになってきました。

クライアントさんに喜ばれたことの例としては、案件を受ける際の条件として、「○件フィード投稿・○件ストーリーズ投稿必須」などがあるのですが、これを指定された数以上投稿するようにしていました。

また、なるべく細かく情報を載せるようにもしていました。インスタは文章が長いと読んでもらえないと言うインフルエンサーもいますが、私は**「私の投稿だけで情報収集が完了できること」**を意識して投稿を作るようにしています。

例えばホテル案件であっても、周辺情報を載せることで見た方に滞在のイメージをしてもらえるような投稿を意識しています。

中島侑子より

リピートで依頼されるインフルエンサーの特徴は、相手の想像以上のものをお返しする人。ビジネスで成功する人も一緒ですね。なつきさんはまさにそんなインフルエンサー。

42 ターゲットを絞ったプロフィールでどんな情報を発信する人なのかを明確に

冨永彩心
パーソナルスタイリスト
Instagram ID
@tomiayam

Before

公式 LINE の登録者数は月に１～２名。月収わずか２万円

2019年からパーソナルスタイリストとしての認知を広げる、申し込みをしてもらうために、インスタグラムを始めました。しかしフォロワーが思ったように増えず、利益も上がらず悩んでいました。この当時の月収は、１回5000円のショッピング同行でいただく２万円でした。

After

約 100 万再生の2つのリールで2ヶ月で約1万フォロワー増加

登録が増えず悩んでいたLINE公式も１ヶ月で２人→20人に。現在では月に100名近く登録していただいています。売上は、１年前の５倍になりました。

一番嬉しかったことは沖縄、九州、北海道など日本全国、アメリカからも私のファッション講座を受けに来てくれるようになったこと。インスタグラムは本当に世界と繋がっていて、私の人生を世界へと広げてくれました。現在はフォロワーも２万人にまで増えました。

ターニングポイントは、学び始めてわずか2週間後

ハッシュタグのつけ方や投稿文の書き方など、侑子さんのアドバイス通りにしたところ、フォロワーが1万人いなくてもアパレルブランドからのPR案件が立て続けに2件、化粧品、サプリメントのPRも3件いただくことができました。学び始めてたった2週間のことでした。

最も力を入れたのは、集客に繋がるプロフィール

アパレルブランドからのPR案件が欲しかったので、**案件をいただく前から服を紹介するときはまるでPRのような投稿**をするようにしていました。その服の良いところやコーディネートポイントなどお伝えし、ハッシュタグもブランドさんのものをつけ、ブランドのアカウントを記載して投稿していました。

プロフィールを誰が見ても何をしている人なのかがわかるように変えました。そして、インスタの目的がPR案件の獲得から自分のファッション講座への集客へと変わるにつれて、プロフィールも変化しました。

例えば、PR案件が欲しいときはこんなプロフィールでした。

「冨永彩心【好きな服だけ着て人生を変えるファッションコンサルタント】ただのおばさんになりたくないあなたの救世主／服も人生もパッとしないあなた！／無難な服じゃ人生変わんない／元ELLEスタイリストが教える人生を劇的に変える方法／伊勢丹出没率高／LINE登録で人生変えるシートプレゼント」……こんな感じです。

そこから、「冨永彩心　45歳からの生き方をファッションで劇変させる専門家【ブランディングスタイリスト】ファッション／マインド／トータルプロデュース／毎朝8：30ファッション学べるインスタライブやってます／ファッション好きの為の【スタイリスト養成講座】1期満2期生説明会募集中　優先案内はURLから彩心流バズるリールのつくり方PDF」

このような形に変えました。

特に効果があったのは、**『45歳』とわかりやすくターゲットを絞ってプロフィールに入れたこと**です。

ターゲットを絞ること、発信内容を明確にすること。ファッションならファッション、旅なら旅、カフェならカフェという感じで、プロフィールで明言すると、何について発信しているアカウントなのかが明確になります。

特に良かったことは、日本全国や海外からの受講者

一番嬉しかったことは沖縄、九州、北海道など日本全国、アメリカからも私のファッション講座を受けに来てくれるようになったことです。

たくさんいるイメージコンサルタント、パーソナルスタイリストがしないような発信を心がけているため、同業者との差別化ができていたことが良かったのではと思います。

私、冨永彩心にしかできないスタイルを発信しています。

自分の個性を理解し尖らせることが、これからの発信で一番大切なことだと感じています。

「あなただからお願いしたい！」「彩心さんに会いたい！」

そう言っていただけることが幸せであり、私の励みになっています。

中島侑子より

彩心さんが何よりすごいのは、楽しんでリールを作られている点。お洋服が大好きなのが伝わってくるし「ぜひ会ってみたい」となります。

また、離婚した話、介護の話、包み隠さずリールで自己開示されている。

そうして楽しく作られたリール動画が95万再生（しかも2本！）、わずか2ヶ月でフォロワーが9000人増え、2万人に到達されました。

43

1日3時間のブログ更新をやめ1日10分のインスタ発信で年商が3倍に！

内野 舞
経営者
Instagram ID
@love.mai.uchino

Before

集客のためのブログに1日3時間

この当時、すでに起業していて売上は2000万円ほどはありました。毎日3時間かけてブログを更新し、集客していました。

しかし同じような起業女性との集まりのときに自分の知名度のなさ、影響力のなさを痛感し、もっと突き抜けるためにはどうしたらいいかを模索していました。知名度を上げ、売上を伸ばすためには何をしたらいいのか、悩んでいました。

After

1日10分のインスタで年商3倍に

インスタグラムに力を入れ始めたところ、ブログの発信回数が減っても集客できるようになりました。1日3時間かけていたブログの時間はたった10分のインスタ発信に。5000だったフォロワーは、1年半で2万になりました。2万という数字の影響は大きく、良いブランディングに繋がったのでしょう、年商は3倍にまでアップしました。

まず手がけたのは、ライフスタイルをテーマに据えたこと

私自身が、侑子さんの地方にいながら全世界を飛び回って活躍されている姿に憧れてインスタグラムの入り口に立ったということもあったので、ライフスタイルをテーマに据えました。

私も福岡に住んでいるので、地方に住んでいながら全世界でお仕事をされている侑子さんのライフスタイルは、共感や影響を受けやすかったです。

「どんなライフスタイルの部分を切り取って打ち出せばペルソナに響くかな？」と考えて、「自由で豊かでパートナーからも愛される」という切り口を決めました。

集客に繋げるために工夫していたこと、意識していたことは、「内野さんみたいな生活がしたいな」とか「内野さんみたいな働き方がしたいな」という風に、憧れや理想だと思ってもらえるような投稿を心がけたことです。

例えば私は恋愛コンサルタント養成講座をしているので、そこに繋げられるようにパートナーとの関係なども投稿しています。また、起業塾をやっているので、「地方にいながら全国を飛び回って旅をしながら、旅先で仕事を作って

中島侑子より

自分が来てほしいお客さんがどのような世界観を好むのかをしっかり考えて、高級ブランドなども取り入れ憧れと共感を随所に織り込んで、世界観を打ち出されています。その一方で、過去に介護の仕事をしていた頃は手取りが十数万円だった、といった内容も自己開示されていて、そのギャップにファンができます。

自分のどの部分を切り取ればターゲット層に響くのかを考えて発信するのは大切です。

仕事ができる、売上が立つ」というようなことを投稿するようにしています。

ターニングポイントは、ブログの発信が減っても集客できるようになったこと

「TOKYOインフルエンサーアカデミー」のスタートから2ヶ月でブログの発信回数が減っても集客できるようになりました。その理由について考えてみると、インスタグラムとアメーバブログの利用者数の差です。これまでだったら出会っていないであろうお客様たちと、より短期間でより効率良く出会うことができたのは、インスタグラムのおかげです。

また、当時はハッシュタグが検索されやすかったので、「福岡」「自分の好きなお洋服のブランド」「自分の好きな物（手帳とかノートとか）」「起業」といった、自分にまつわるワードをハッシュタグとして入れておくと、同じ共通言語を持った人たちがその目印を見つけてやってきてくれました。

ファンを増やすためにしたことは、積極的なコメント

正直、私はフォロワー数にはそこまでこだわっていないのですが、「濃いフォロワーを増やしていく」のは大事だと思っています。自分がいいなと思っ

た投稿に積極的にコメントすることによって集客に繋がったと思っています。数だけ増やす活動よりはいかに濃いフォロワーを増やしていけるかというところが、集客には繋がっていくのかなと感じています。

中島侑子より

私はよく「自己開示することが集客に繋がる」というお話をします。自分をさらけ出している人には、お客様も安心して自分をさらけ出せる。弱みを見せてくれる人には、自分の弱みを見せやすいものです。完璧な人の前で、弱い部分は晒せないですから。自己開示は勇気がいることですが、だからこそ信頼が生まれて「私も開示していいんだ」となります。そうやって人が集まり、集客に繋がります。

44 最初にコンセプトを固めればフォロワー数が少なくても集客は可能

宮崎まり
ビジネスコンサルタント／医学部生
Instagram ID
@mari_vip_biz

Before

コロナ禍で集客の見込みが立たず

コロナ禍で対面でのアルバイトがなくなり、オンラインでもお客様に出会える形をどうやって作ったらいいか、わからなくなっていました。特にSNSでの発信は、それまで見るだけで自分はほとんどしていなかったので、インスタはインストールさえしていませんでした。

医学部に通学しながら、仕事の集客をしたいと考えていましたが、どこから手をつけていいのかわからない状態でした。

After

動画販売で売上1000万円以上に

動画販売で売上1000万円以上を作れるようになりました。また、以前から大好きだったイギリスでもPR案件をいただいて仕事ができるようになりました。実業家さんなど、様々な分野で本気で生きている人との繋がりが増えて、シリコンバレーへのご縁も見つけられました。

生き方の選択肢を増やせるロールモデルとして、医師・経営者・投資家・研究者として掛け算をして楽しく暮らしています。

まず手がけたのは、他との差別化

身近な起業家さんたちが書かれていることをリサーチしてリストアップした上で、「私が言うからこそ説得力のある内容は？」と考えていました。元々が家庭教師からのスタートなのもあり、抽象度が高い他の人の発信を抽象度を下げて具体的に発信することで、リアクションをもらえることが多かったです。

また、侑子先生よりご縁をいただいた作家の星渉先生など、様々なコラボをするのもインスタが宣伝のとても良い媒体となりました。

最も力を入れたのは、お悩みを拾うこと

最初にコンセプトをしっかりと固めていたので、その方針で続けていくだけでも的確に集客できるようになりました。私のフォロワー数は現在数千とそこまで多くはないのですが、その数字から受ける印象よりははるかに多くの方にリーチできています。

力を入れたのは、**お相手のお悩みを徹底的に拾うこと**です。「あるある」を扱った上で「とはいえ……」と、こちらの発言に対して感じるであろうことを

事前にカバーするようにします。また、「安いなら受けたい」という人の意見を聞かないようにもしました。ハイブランドのブランディングでもそうですが、値段にかかわらずその商品について感動したい、経験したいと思っている状態を作り出します。

また、**「自分にとっての当たり前は、誰かにとっての欲しい未来である」**という気持ちを大切に、移動先から見える景色、行ったお店、身近な空間など、様々な場所から発信するようになりました。

集客に困らず、ファンが常にいる状態で、動画商品を作れば売上が1000万円入るような状態になりました。

具体的には、開講したビジネス講座の録画などの配布+取り組んでいただくことを事前にお伝えし、その上で個別のセッション時間を設けることで講座の説明時間が大幅に短縮されました。

1000万円の内訳の例ですが、セミナー開催で100万円ほど、個別コンサルで100万円ほど、グループ講座で400万円ほど、また別の仕事で予備校で400万円ほどとなっています。

侑子さんに**「フォロワーの数を重視するか？　質を重視するか？」**と、最初に言語化していただいたおかげで、ブレずにアカウントを育てられていると思います。フォロワーの数ではなく、実際のターゲット層に近いフォロワーに訴求していく。つまり質を重視し、そのためにストーリーで語り、値段ではなく感動を伝え、相手目線で「あるある」を言語化していくように心がけました。それによって、発見欄で表示される率が上がり、見込み客にアプローチしやすくなりました。

中島侑子より

医学生は試験も多く考えられないほど激務なのに、そんな中で顔出しもなしに1000万円以上を売り上げているすごい方です。
フォロワー数は決して多くはないんですが、その数字からは想像もつかないくらい結果が出ています。インスタ外で出会う方々にもインスタが名刺代わりとなって信頼されるというパターンもあります。

45 自分のメイクレッスンは即満席 芸能人の方から依頼をいただく機会が増えた

梅澤仁美
ヘアメイクアーティスト
Instagram ID
@umezawa.make

Before

メイクレッスンの認知のために始めるも頭打ちに

元々はヘアメイクアーティストとしてヘアメイク専門店の店舗運営をしていたのですが、新たに一般の女性向けのメイクレッスンを始めました。

そのレッスンをたくさんの方に知っていただくためにインスタを始めたのですが、何の知識もなかったので、8500フォロワーくらいで頭打ちになり、悩んでいました。

After

レッスンは常に即満席、モテメイクの分野で第一人者に

メイクレッスンは常に即満席、芸能人から依頼をいただく機会が増えました。世界４大ミスコンのうちいくつものコンテストで公式講師に抜擢。

有名インフルエンサーやYouTuberのお友達が増え、多くのコラボ企画を開催。リアルイベントに80名以上、オンラインイベントに200名以上の集客がありました。

さらにメイクレッスン×インスタレッスンを始め、大活躍する美女インフルエンサーを数多く育てています。

まず手がけたのは、「モテ」と「メイク」と「大人女子」を掛け合わせ

お客様になるであろう方の見ているアカウントの中から、自分と関連する分野で目標となるものを探したり、**お客様が何を求めているかを徹底的に調査**したりしました。**「モテる」×「メイク」×「大人女子」**というものを掛け合わせて発信しようと決め、「一目惚れメイクレッスン」というテーマを思いつきました。

最も力を入れたのは、お客様が何を求めているかをリサーチしたこと

フォロワーさんやフォロワーになるであろう方々に喜んでいただける内容を発信したことです。そのために自分の関連する分野において、お客様が何を求めているかをリサーチし続けました。さらに、その反応を分析して次に活かすということを繰り返し続けていきました。

これは、侑子さんから徹底したデータ分析の仕方を教わってできたことです。ただ自分の良いと思うことや伝えたいことを発信するだけでなく、お客様が何を求めて、どのように発信すれば伝わるかということを客観的にロジカルに調

中島侑子より

すごく良かったのが「一目惚れメイクレッスン」というテーマと、「モテすぎて困っています」というキャッチーなフレーズを思いついたこと。キャッチフレーズは絶対必要というわけではありませんが、ハマるフレーズを思いつくと集客に影響が出ることもあります。

査しました。何度もトライ&エラーを繰り返してより良いものを作っていくことで、多くの方に私のメイクレッスンを知っていただくだけでなく、お客様により喜んでいただけるサービスや情報を提供できるようになりました。

慣れないトライ&エラーは最初こそ大変でしたが、フォロワーさんの反応が嬉しくて、発信することがどんどん楽しくなっていきました。

工夫したのは、自分というキャラを前面に出したこと

自分の技術（メイクビフォーアフター写真やメイクテクニック、お客様の知りたい情報）を発信するのはもちろん、**私というキャラクターを見ている方に認知してもらい、ファンになっていただけるように自分の見せ方を徹底的に研究し発信**していったことです。

それにより、**ただの「ヘアメイクさん」から「仁美先生」という存在**で認識されるようになったことで「仁美先生に会いたい」「仁美先生のようになりたい」とまで言っていただけました。私というキャラクターを前面に押し出すことで、他のヘアメイクさんとは差別化を図ることができ、唯一無二の存在になることができました。これがあったから、今の自分があると思っています。

そして何より、インスタグラムを通して本当に素敵なお客様や生徒様にお会いすることができました。新たな繋がりができたことで、大好きな方々に囲まれてお仕事ができるようになり、今は最高に幸せです♡

一番大きな変化は、視野が広がったこと

インスタグラムをすることで、自分が今まで見てきた世界から一気に視野が広がりました。広い視野を持ち、今までの経験をより大きく活かしていけるようになった結果、インスタグラムを飛び越えて自分の人生観まで大きく変わったように思います。

46 上司にかけあい自社のミールキットの販促にインスタを利用

山王麻美
会社員
Instagram ID
@asami_sannou

Before

SNSに苦手意識があり、一度も触ったことがなかった

SNSに対して怖いイメージと苦手意識があり、アカウントすら作ったことがない状況でした。アナログで良いとも思っていました。

After

自社商品の販促に使い認知度UP

ちょうど営業成績指標が全社内で1位となり、本社の営業推進部課長に昇格するタイミングで侑子さんの講座を受けることになりました。そこで、自社で扱うミールキットの普及にインスタグラムを利用できないかと考え、上司にかけあい、他部署を巻き込んでPR活動に活かすことになりました。さらに、お子様たちを商品開発のアンバサダーにするなどの活動により、認知が広がっています。

まず手がけたのは、家族投稿

フルタイム会社員でも毎日投稿できるネタとして、過去に撮った写真を使用しようと思いました。特別支援学級に通う中学生の息子（15歳）の誕生から現在までの様子を時空を超え、行ったり来たりしながら投稿していきました。家族でのお出かけ、旅行、おすすめスポットなどをテーマに選びました。

ターニングポイントは、会社公認で自社製品を紹介したとき

途中から自社（ワタミ株式会社）で扱うミールキットを紹介するようになったことです。全国に約530ある営業所で営業成績指標となるレーダーチャートにおいて全国1位となり、営業所所長から本社の営業推進部課長に昇格となるタイミングで、侑子さんのアカデミーへの入学が決まりました。

役員面談時、事業部責任者へ高い入学倍率の「TOKYOインフルエンサーアカデミー」に合格した旨を伝えました。当時の上司にかけあい、自社のミールキットを子育て中のママさん向けにSNSでPRしてみてはどうかと提案してみました。

するとと上司はスピーディーに動いてくれ、ミールキット部の女性部長とで、打ち合わせをセッティングしてくれ、インフルエンサーPR企画をしてみようということになりました。

侑子さんの協力もあり、フィード投稿に加え、ストーリーズの投稿が、シェアと拡散され大変良い反応をいただきました。

特に良かったことは、仕事中にインスタを触れるようになったこと

自社のミールキットをテーマに加え、**仕事として勤務時間に、インスタの活動ができるようになったこと**です。

社内の会議室で上司立ち会いのもと、インスタライブも開催できました。

会社の顔として、自社の商品を投稿する際に気をつけたことは、とにかくわかりやすく伝えること。キット内容や調理工程、時短、簡単に美味しくできることを伝えられるように、写真や動画編集を工夫しました。フィード投稿とリール投稿とメニューの調理工程によって使い分けをしてみました。

キャプションには、アレンジ内容や家族からの声、エピソードを入れるように心がけました。

そして、映えを気にしすぎてハードルは上げないように心がけました。「難しくて私には無理」と思われるような内容にはしませんでした。自宅キッチンを撮影することへの抵抗感はありましたし、食器も同じものばかりでしたが、無理のない投稿で続けられるようにしました。

一番大きな変化は、苦手なファッションを克服できたこと

私は自撮りやメイクやファッションコーディネートに全く自信がなかったのですが、オンラインメイクレッスンを受講したり、ファッションはレンタルサービスを利用するなどし、写真は仲間のフォトグラファーにお願いして撮影してもらうようになりました。そうしたところ、周囲からの反応も良くなりました。自分でも自信が持てるようになり、自然体でいられるように。

発信で、人生が変わる。今では本当にそう思えています。私の発信が誰かの行動のきっかけになる。一人でも影響を与えられたらもうインフルエンサーです。**一歩踏み出す勇気を何度も経験すると、挑戦へのハードルが下がります。**失敗を恐れず、気になったらやってみる。日々、前向き度が加速しています。

中島侑子より

インスタを始めてから会社にかけあい、自力でポジションを得て、人生が変わった方です。この本でも自分のビジネスにインスタを活用されている事例が多数掲載されていますが、麻美さんの場合は組織に属しながらインスタに取り組まれた貴重な事例。会社でインスタを活用する人にとって、麻美さんは良いモデルケースになると思います。

47

フォロワーが増えるとともに来訪者と入社希望者が増加メディア出演や講演依頼も

佐藤久美

旅館の女将

Instagram ID

@tabisuru_okami

Before

旅館の稼働率が上がらず発信力に悩む

旅館経営をしていく中で私の旅館に最も欠けている部分が、発信力でした。どんなに頑張って旅館を磨き上げ質を向上させても、知ってもらえなければこちらを向いてもらえません。なかなか伸びない稼働率を上げたくて、悩んでいました。

After

旅館の集客に成功。入社希望も増加中

フォロワーが1.6万人に増え、アカウントのファンが増えることで旅館の集客にも繋がりました。地域の情報発信を続けていくことで、県内の農家さんとのご縁ができ、旅館で使う食材も充実してきました。

さらに、地元の観光業者を対象にインスタグラムの講座を開催しました。テレビや新聞などの取材が増え、講演依頼もいただけるようになりました。

また、投稿で社員を仲間として紹介することで、社員も旅館神仙の一員であるという意識が高まってきたように思います。

ターニングポイントは、地域の情報を発信し始めたこと

発信を続けていくうちに、この町を盛り上げたいという思いが強くなっていき、地域の情報を中心に旅先の情報を発信するようになったことです。私の発信で誰かを笑顔にしたいと思うようになりました。

私の投稿を参考に旅を楽しまれている方が増えてきて、「女将(おかみ)の投稿のおかげで助かりました！」や「いつもインスタ見ています！」など、実際にお客様から声をかけていただく機会も増えて励みになっています。

地域の情報を探して発信していくことで、それらに関わる人たちが喜んでくださいました。例えば、地元の花農家さんを訪ねたとき、愛(いと)おしそうにお花を見る農家さんの表情に触れ、農家さんの花に注ぐ愛情を私なりにご紹介させていただきました。そうしたところ農家さんは大変喜んで、毎年お花が咲く時期になるとお声がけくださるようになりました。私の投稿ひとつでこんなにも誰かを笑顔にできるのかと感激したことがきっかけで、もっと観光に限らず地域の情報を発信して高千穂の魅力を多くの方に知っていただき、地元を盛り上げたいと思うようになりました。

特に良かったことは、入社希望者の増加

全国で人手不足が問題になっている中、入社希望者が増えていることです。**インスタグラムで発信を続けたことにより私自身の認知度がアップし、相乗効果で旅館神仙の知名度もアップ**しました。

メディアでコロナ禍においての弊社の取り組みが紹介されることで、弊社の信頼度も高まったようです。

現在は、長年の課題である定着率を上げるための取り組みに力を入れています。売上が伸びたことで給与のアップも図りました。外国人スタッフも増えてきたので社内での国際交流もでき、社内環境はかなり改善されてきています。

一番大きな変化は、たくさんの繋がりができたこと

インスタグラムで観光だけでなく県内の食材も紹介していきたいと思うようになり、知人から農家さんをご紹介いただきました。直接お会いしてお話を伺うことで食材の価値を理解することができ、また、弊社でその食材を使うことでより多くの方々に知っていただくことができるようになりました。

私のアカウントのファンが増えることが結果として旅館の集客にも繋がって嬉しいことだらけです。

インスタグラムは人が発信するものであり、アカウントはそれを運用する人そのものです。人気のアカウントを見ていても、販売する商品も素晴らしいのですが、それを作り販売する人が魅力的なことが多いと感じます。

当館のお客様からも『女将のアカウントを見てこの旅館に泊まりたいと思った』と嬉しいお言葉をいただくことが増えました。

集客をするためにアカウントを作成するのであれば、**それを運用する人の人となりが感じられるような発信をしてファン作りをすること**が販売力向上にも繋がっていくと思います。

私は常に**誰に届けたいのかを考え、見る人が楽しめるような投稿、必要とされるような投稿**を心がけています。

中島侑子より

久美さんはかつて、「自信がない、時間がない、お金がない」が口癖だったとおっしゃっていました。今はそんな時代があったなんて信じられないほど、活躍されています。自社の利益だけでなく、地域の発展を考える久美さんのGIVEの気持ちが、結果的にたくさんのファンを生んでいます。

48 講座を受けていただいた先の未来が想像しやすいような投稿を意識

上原さやか
脳科学アカデミー主宰
Instagram ID
@sayaka_noukagaku

Before

育児に悩む元小学校教員

私は脳科学の講座を主宰しているのですが、その集客をしたいと思い、インスタグラムのアカウントを作りました。しかし、作ったはいいものの集客に繋がる使い方がわからず、何投稿かしては止まって、というのを２年くらい続けていました。
自分で情報を集めようとしても雑多な情報が溢れていて、どのやり方をすれば成果が出るのかもわからず、アカウントを作ったものの長い間放置してしまい、集客には全く繋がりませんでした。

After

【脳科学×ビジネス】で年商８桁超え

フォロワーは現在1.3万人。発信を続けることで脳科学の講座の集客も安定するようになり、子ども３人の子育てをしながら、月商も過去最高の570万円を達成することができました。インスタグラムのおかげで、私自身のビジネスを拡大していくスピードが加速しました。

まず手がけたのは、類似サービスを探しモデリング

侑子さんの講座では、どのようにすると自分が出会いたいフォロワーと出会えるのか、フォロワー数が増えるのか、という点を、体系的に教えていただけました。

私は「脳科学で望みを叶えていく」というジャンルなので、同じようなサービスを出している方を見つけるために、たくさんのアカウントを見るようにしました。そうして、**自分の発信やサービス内容と似ている方を探して、モデリング**しました。

さらにプラスして、これから私が出会いたいフォロワーさんは私が好きな世界観や価値観も似ているだろうと思ったので、写真で自分の好きなものや興味があるものも積極的に発信するようにしました。

運用していくうちに、プロフィールや投稿内容、写真などでフォロワー数の増減が変わることがわかったので、その都度テストしながら反応が良いものを投稿するようにしていきました。

ターニングポイントは、講座への集客が成功したとき

インスタグラムを見た友人やお客様から、褒められるようになったことです。さらにそこから、自分の主宰する講座に入ってくださる方が出てきたときには、手応えを感じました。

私のアカウントについては「楽しそう！」「いつも好きなことをしていて、そういう生活を私もしてみたい！」というようなお声をいただきます。講座内容を発信するというよりは、**講座に参加して習得した後に、こういう生活ができるようになるということを見せている**ことが効果的だったのかなと思っております。

最も力を入れたのは、共感や憧れを持っていただく投稿

脳科学の講座を主宰しているので、**講座を受けていただいた先の未来が想像しやすいような写真や投稿をする**ことで、共感や憧れを持っていただくようにしました。

中島侑子より

「この講座を受講した先の未来を見せる」として憧れをテーマに投稿されている方は多いですが、さやかさんはその匙加減がとても上手です。庶民的すぎず、遠すぎない。頑張れば手が届くような憧れがオススメです。

世の中に出ているサービスや、私が開催しているような講座の内容・ノウハウは、すでに同じようなものが出回っています。では、どこで選ばれるのかというと、**その人だけが持っているオリジナルの世界観や人柄などで選ばれる**ことが多いです。講座を受けていただくと、知識が増えたり、マインドが変わったりということももちろんあるのですが、私の世界観を共有することで、講座を受けた先にある未来が想像できるようにしています。例えば、ちょっとお洒落なランチやアフタヌーンティ、ホテルなどの写真です。

女性は共感できる人に興味を持つことが多いですし、**親近感を抱く**生き物です。共感することで、これからお客様となってくださる方やフォロワーさんと距離が近くなりますし、信頼関係が築けます。ただし、私は講座講師なので、共感と親近感だけだと少し足りないので、憧れ要素を足して「先生」ポジションの発信もしています。「あの人のようになりたい」と思ってもらうことで、講座にも興味を持っていただいております。

49 コアファンが離れづらい仕組みを作った結果、1年先まで予約が取れない人気のセッションに

トレイシィ
スピリチュアルカウンセラー
Instagram ID
@tracy_milagros_

Before

4ヶ月の娘を抱えて無職に。人生どん底生活

第２子を出産してすぐに、突然の契約解除に遭い、それまでもらっていた育児休業給付金がなくなり、収入がゼロになりました。４ヶ月の娘を抱えて、明日から何をしたらいいのかわからない人生どん底の状態。

一方で、会社員から解放された今だからこそ、本当に好きな仕事、私にしかできないことを見つけたいという情熱に燃えていました。しかし、その方法が見つからずに悶々としていました。

After

10年来の夢だった「天職」に巡り合う

発信した結果、10年来の夢であった「天職」に巡り合うことができました。今では仕事がご褒美となっています。120％で生きられていて、本当に毎日が楽しいです。生徒やクライアントさんにも恵まれて、好きなときに発信して、集客して、収入が得られる。大好きなクライアントさんや生徒に囲まれるご褒美の仕事でお金までいただける、最高の人生を送っています。

ターニングポイントは、公式LINEへの誘導

ターニングポイントは、インスタからLINE公式アカウントに誘導してコアファンの教育を徹底的にし始めたときです。この頃から、長期講座や高額商品が飛ぶように売れ始めました。そして、様々な施策によってコアファンが離れづらい仕組みを作った結果、おかげさまで今では何をプロデュースしても即満席になるようになりました。継続セッションについては1年間満席の状態が続いており、新規顧客をとることができないレベルに充実しています。

ファンを増やすためにしたことは、フォロワーさんとの密なやりとり

私はインスタだけで発信している頃から、フォロワーさんとの密なやりとりがとても好きでした。メッセージやコメント返しなどは戦略的に行っていたというよりは、人と人との関わりが大好きな性格がそのまま発信活動に活かされていた形でした。

私の中で、**SNSとリアルとの関わりがほとんど同じ位置づけ**だと思っていますので、ここでできる最大限のコミュニケーションを取るように心がけてい

ました。

そして、発信内容も**「読み手に役立つ情報」を意識**していました。

その後、私自身が広告塔になっていく形にシフトしたので、投稿では読者にとっての有益な情報&教育投稿、ストーリーズでプライベート&教育投稿という形で使い分けるようになりました。

最も力を入れたのは、読み手に有益な情報を提供すること

日々発信をしていく中で、どうしてもよりコアな内容をお伝えしたいという気持ちが生まれたこと、またLINE公式アカウントではインスタグラムとはまた違ったやりとりをフォロワーの方とできるのではないかと考えたので、インスタグラムからLINE公式アカウントに誘導する形を採用しました。

私の場合は様々なコンテンツ（商品）をプロデュースしていますが、コアファンを集客した結果、LINE公式アカウントに登録いただいている方々の購買率（集客率）は7割くらいになりました。

その前段階で力を入れたことは、とにかく読み手にとって有益な情報を提供し続けること。そして、常に先にギブすることがとても大切だと思っています。

例えば、私のLINE公式アカウントのプレゼントは3つご用意しています。全て有料級で、今では1年待ちの高次元セッションですが、新規登録いただいた方々には、個別に「今必要な高次元メッセージ」を降ろしています。さらに、これは私のこだわりですが、新規登録者には個別に一件一件、私が直接お返事しています。発信にしてもメッセージひとつにしても、自分がきちんと「エネルギー」を乗せることがとても大切だと思っています。

今の時代、自分が持っている魅力、個性、才能、強みなどを総合的に発揮したら、どんな方でも唯一無二の発信ができて、コアファンが作れると私は思っています。自分の素質を最大限に活かして、それを全面的に発揮する努力をする。

また、**発信は究極的な自己開示**だと思いますので、自己開示が進めば進むほど、そのありのままの姿に惹かれてコアなファンがつくとも思っています。

中島侑子より

トレイシィさんも最初は何をしたらいいか悩みながら私の講座に参加されていました。何をしたいかもわからないまま、フォロワーさんとやりとりを続けるうちに、自分のニーズがわかってきて今の形になっていきました。濃いファンを増やすためには、フォロワーさんとの密なやりとりはとても大事。発信していくうちにファンが増え、それが集客に繋がります。

50 「世界に届けるなら前髪は分けて」この言葉がブレイクスルーとなり年商8桁を4年連続達成

皆里しおり
経営者
Instagram ID
@shiori_minasato6161

Before

法人化したものの集客に悩む

メルカリ物販で法人化したものの、よりたくさんの方に届けるにはどうしたらいいか悩んでいました。認知が上がれば、もっとたくさんの方に届くはずだと思いましたが、どのようにすればいいのかわかりませんでした。

After

お問い合わせが増え、年商8桁を4年連続達成

フォロワーは1.3万人になり、インスタからのお問い合わせが増えました。ストーリーズやLINE公式アカウントでの反応も増え、私の「はぴメル講座」の受講生さんも最高月商150万円を達成されたり、ご主人が退職されてもママが大黒柱として家族を支えるなど、幸せを循環させるお手伝いができています。

フォロワーさんが欲しがる情報も、問い合わせが増えることで手に取るようにわかるようになり、「何を伝えたらいいんだろう？」と悩むことが減りました。

最も力を入れたのは、「メルカリ」「子育て」「ママ」をテーマに発信したこと

メルカリ×子育て×ママ。普段大事にしているワードをメインに発信したことです。

輸入仕入れの検品で障害者施設の方に検品をお願いして雇用を生むなど、ただお金を稼ぐだけではなく、「自分を満たして、周りの人も喜ぶ仕組みが、物販で叶うんだよ。あなたが幸せの中心になるんだよ」ということを伝え続けるようにしています。理想論ではなく、あなたも周りも、一緒に具体的に幸せになっていくということを表現することで共感を得ることが多いです。

まず手がけたのは、300日間連続発信

300日毎日連続で発信をしました。投稿をすると、やはりたくさんの人に見てもらえるし、ハッシュタグの気づきなど学びも多かったように思います。

はじめは、「#メルカリ」「#物販」とだけ、仕事名や単語だけを入れていましたが、それよりも届けたい対象がママなら、ママがまず興味のあるハッシュタグをつけるべきだと思うようになりました。

「#公園遊び」「#お弁当作り」「#3歳児育児」「#子育て大変」「#お小遣い稼ぎ」……こんな感じでしょうか。

将来のお客様がどうやって検索するかを考える、いいきっかけになりました。

ターニングポイントは、前髪を分けて額を出したとき

そのときの私はコンサルタントとして売れていきたいのに、見られることに抵抗があり、SNS用に自撮りをしてもどうしても前髪で目を隠してしまっていました。「人は中身、情報や知識でしょう」と自分に言い聞かせ、外見を磨くことをしていなかったのです。

侑子さんの講座には、アナウンサーやミセスグランドユニバースで世界大会グランプリになるほどの素敵で綺麗な方がたくさんいらっしゃいました。そんな「別の世界の人だ」と思っていた同期から、「世界に向けての発信なら、前髪を分けることから」というアドバイスをいただきました。世界大会グランプリを取った彼女も、実は同じことで悩んでいたと言い、写真まで見せてくれたのです。そこには、私と同じく前髪があり、服装も今と全然違う印象の彼女がいて、衝撃を受けました。私も、今ある講座を日本に向けて、そして世界に向

けて届けたい。そんな思いになり、どうしたら彼女みたいになれるの？　まず何をしたらいい？　と聞きました。そうしたところ、「内面の自信の最後の扉は、前髪なんだよ」「世界の美の舞台では、前髪はみんな分かれているよ」ということを教えていただいたのです。それを聞いて、34年間額を隠してきた前髪を分けることを決意しました。今考えるとそれが、自分を受け入れ、本当の意味で「SNSで仕事をする」決意が固まった瞬間だったと思います。

ボサボサだった髪は、月1でスパに行き、美容院のシャンプーを買うことでサラサラに。高校生のときから変えていなかったメイクは一から学び直しました。

すると、外見に自信がついてきて、その変化に驚いた方々が声をかけてくださるようになり、周りから見た目を褒めていただくことが増えるようになりました。ライブやZoomなどで自分の顔を見ても好きだと思えるようになり、笑顔も増えました。このことをきっかけに幸せの循環が生まれ、年商8桁を4年連続で達成しています。以前は一人で頑張っていたけれど、インスタのおかげで応援される自分になれました。

中島侑子より

しおりさんが入学された頃は自信がない様子でした。しかし発信を続けるうちにどんどん自信に満ち溢れ、輝きを増していかれました。私の講座の同期たちによる良い影響も大きかったと思います。もし周りに良い刺激を受けられる人がいない場合はインスタで憧れの人を探すのもひとつ。こうなりたいと思う方を見つけて、フォローしてみるのもいいですよ。

CHAPTER
3
夢が叶うって
どういうこと？

最初の夢は通過点だった⁉

50人の自己実現のストーリー、読んでみていかがでしたか？　夢がはっきりしていない人には目標やゴールのサンプルに、明確な人には具体的なインスタ活用の参考になればという一心で編集しました。何度も見返していただくと、自分に必要なタイミングで最適なヒントが得られるはずです。

ところで、私が50人にヒアリングしてまず抱いた感想は「あれ⁉　みんなアカデミー入学時に言っていた夢より、はるかに多くのことを叶えている！」というものでした。

「PR案件が少しでもいただけたら嬉しい」と言っていた専業主婦が、全国の高級ホテルやリゾートからPR案件をいただき、地方自治体とコラボレーションして商品開発をしたり、地方活性化のためにコミュニティを組織し、かつての自分のようなママに「人生のやりがい」を与えるリーダーになっていたり。

みんな入学時と比べてステージアップしすぎていて、当時を思い出してもらわないと読者の皆さんの参考にならない……と心配したほどです。

なぜ短期間でみんながステージアップするのか？

それは、ステージアップに必要な全て（ノウハウ＋共に頑張る仲間＋継続できる環境＋未来を見せるメンター）がアカデミーに揃っているからです。この4つの中で「ノウハウ」と「未来を見せる50人のメンター」に関して本書にできる限り詰め込みました。あなたも今、夢を描きインスタ活用を始めようとされています。本書の内容をコツコツ継続すれば、きっとその夢は叶うでしょう。そして、その過程で「思ってもみなかった夢」まで叶ったりするのです。

例えば私の場合、インスタを始めた当初は「仕事で旅行に行きたい」という夢がありました。程なくしてそれが叶い、多いときで月に7件ほどの依頼を国内外から受けるようになりました。さらに、ずっとやりたかったけれど、まさか叶うとは思っていなかった「地方創生」も全国からお願いされ始めました。

楽しく発信していたら、ミセスコンテスト世界大会からお呼びがかかり、審査の結果、日本代表に選ばれました。

そのうち、「私だけでなく、インスタで夢を叶える人をもっと増やしたい！」と思うようになり「TOKYOインフルエンサーアカデミー」を作りました。

今や全国、海外にも300名弱の卒業生がいます。インスタで夢を叶える人をたくさん育てていたら、TVや出版のオファーが来るようになりました。

「発信力で人生を変える人を増やす」という想いに共感してくださる方が増え、チャリティイベントに1500名の方々がご参加くださり、寄付や支援活動など社会貢献ができるようになりました。また、昨年は日本国内で9箇所、シンガポールとハワイでも講演会をし、講演家としてもデビューしました。

そして今は、長野県で2歳と6歳を育て、月2回子連れ旅をしながら会社経営をしています。人生の全てが発信のネタになり、旅行や遊びが仕事になり、場所と時間とお金から完全に解放された自由を手に入れました。

今後は、事業を日本だけでなく世界に展開していきたいと考えています。たった5年の間に起こったことです。

インスタグラムで発信することの可能性、すごすぎませんか？

発信力と影響力をつけると世間から認識されるようになり、予定していなかった仕事や依頼がアプローチせずとも引き寄せられてきます。それを「自分の本当にやりたいことは何？」と自分と向き合いながら取捨選択し、心の声に従ってやってみると、さらに次の可能性の扉が開いていきます。

そうやって現時点では想像もしていないことまで叶うようになるのです。

インスタをすると、例外なく綺麗になる

ここ数年、私がすごく変わったので昔からの知り合いが驚いています。外見的には「どんどん若返っていく」「年々オーラが増していく」と言われます。

これは、間違いなくインスタをやっているおかげです！

アカデミー生もそう。インスタを始めると例外なくみんな綺麗になります。まるでデビュー後に垢抜けていくタレントを見ているようです。

インスタの中の〝キラキラ〟〝映える〟世界は、演出ではありません。リアルで会っても本人たちから素敵なオーラが発散されています。生まれ持った姿

形は「綺麗」「素敵」という要素のほんの一部で、残りの多くは後天的なものだとよくわかります。

インスタを始めると「見られる」回数が多くなり、「見られている」という意識で行動するようになります。この意識が、ものすごい差を生みます。

また、写真をたくさん撮るし、撮られます。自分の〝外観〟を客観的に見る機会が圧倒的に増えるので「素敵でありたい」という自覚も芽生えます。

一方で、発信力と影響力をつけるために「どうしたら興味を持ってもらえるか」と常に考えます。服装や写真の背景を変えるだけでも人の興味を引きます。「この服にふさわしい自分」と、セルフイメージも上がります。

初めの頃は逆に、他の人のインスタを見てなんだかモヤモヤするかもしれません。でも、そのモヤモヤを見つめてみると「本当は自分もそうなりたい」という願望や違和感があぶり出され、それが解き放たれます。

失敗は勲章。挑戦した証

「フォロワー1万人なんて別世界」と思っていたのが、「この人も1万人」「あの人は5万人」と本書を読み進めるうちに、「もしかしたら、これが普通なのか」「やればできるかも」と感覚が少しだけ変わってきませんでしたか?

それこそ、自分の中の常識が書き換わってきた証拠です。

夢が叶うとは〝魔法の杖(つえ)で一夜で変身〟とはいきません。夢を追いかけて日々トライ&エラーを繰り返す。これをコツコツ続けていくと、徐々に自分の制限が外れ、固定観念から自由になり、自分の「当たり前」が書き換わります。

でも、トライするって勇気がいりますよね。エラーなんてしたくない。私だってそうだし、50人もみんなそうでした。そんな時は一人でやろうとせず、「仲間」と「環境」の力を借りることをおすすめします。一緒に発信する仲間を作る。発信を継続できる環境を作る。アカデミーでは徹底してその2つを大切にしているので、みんな驚くほどのスピード感で人生が変わっていきます。

私自身、現役医師をしながら「起業します」と投稿したときなんて、清水の舞台から飛び降りるような気持ちでした。「友達はどう思うだろう」「怪しいこと始めたとか思うかな」と不安でいっぱいでした。それでも「えい!」と勇気を出して投稿してみたら、意外と何も起きませんでした。むしろ「勇気をもらった」「刺激になった」「励まされた」という声が圧倒的に多かったんです。

そんなトライした過去の中にはエラーもたくさんありました。渦中は「一巻の終わり」と思えたことも、全ては学びになり成長に繋がりました。

私が最近6歳の娘によく言う言葉があります。それは「失敗は、挑戦した証。だから失敗は全く恥ずかしいことではなく、むしろ勲章。お母さんはあなたがたとえ失敗しても、絶対に怒ることはないし、よく挑戦したねって褒めるよ」

私はこれを、娘に言いながら、自分にも言い聞かせています。

本書を出版するにあたって、私は28時間ライブをやりました。本書に掲載した50人と著名人11名をゲストに私がインタビューを28時間し続けるという、前代未聞のライブです。「発信で人生を変えるきっかけに少しでもなればいいな」と思い、開催日のたった3週間前に決め、年末年始返上で私もスタッフも総出で準備し、4500名の方に視聴申し込みをいただきました。私にとって、エベレストに登るような大きなチャレンジでした。失敗する可能性も言い訳もいくらでもありましたが、私たちは前だけを向いて走り抜けました。

そして、28時間ライブを終えた今、やって良かったと心から充実感を得ています。それは「成功したから」だけではなく「挑戦したこと」そのものに大きな価値がありました。挑戦した人だけしか見られない景色が、確実にあります。

今この時点では、あなたにとって発信自体が大きな挑戦かもしれませんね。「不特定多数に向けて自分を開示するなんて無理」という気持ちもわかります。

でも、思い切ってその壁を飛び越えてみてください。自分を開示すると人生が180度変わります。発信するたびに固い鎧を脱ぐように軽くなります。するとリアルな生活でも生きやすくなり、人間関係やビジネスも好転していきます。

今年私は、「発信力で人生を変える人を1万人増やす！」と計画しています。

総合フォロワー数285万人の「TOKYOインフルエンサーアカデミー」には、すでに日本全国、海外からも20代から70代までの300名弱の男女が集まっています。アカデミー生たちを中心に、「発信で人生を変える」輪を日本中に広げていきます！　そして、日本を変えていくほどのエネルギーのあるインフルエンサー集団になろうと考えています。

本書を読んでくださっているあなたも「発信力で人生を変える」仲間に加わりませんか？

インスタで夢(ゆめ)を叶(かな)えた50人(にん)の
やり方(かた)を1冊(さつ)にまとめました。

2023年3月10日　初版発行
2023年4月25日　再版発行

著者／中島(なかじま) 侑子(ゆうこ)

発行者／山下 直久

発行／株式会社KADOKAWA
〒102-8177　東京都千代田区富士見2-13-3
電話　0570-002-301(ナビダイヤル)

印刷所／凸版印刷株式会社

●お問い合わせ
https://www.kadokawa.co.jp/（「お問い合わせ」へお進みください）
※内容によっては、お答えできない場合があります。
※サポートは日本国内のみとさせていただきます。
※Japanese text only

定価はカバーに表示してあります。

ISBN 978-4-04-606131-7　C0030